Educar con amor y paciencia

Jerry Wychoff / Barbara C. Unell

Educar con
amor y paciencia

**Una guía para solucionar los problemas
de comportamiento infantil**

AGUILAR

Argentina
Av. Leandro N. Alem 720.
C1001AAP, Buenos Aires.
Tel. (54 114) 119 50 00
Fax (54 114) 912 74 40

Bolivia
Av. Arce 2333.
La Paz.
Tel. (591 2) 44 11 22
Fax (591 2) 44 22 08

Colombia
Calle 80, 10-23.
Bogotá.
Tel. (57 1) 635 12 00
Fax (57 1) 236 93 82

Costa Rica
La Uruca,
Edificio de Aviación Civil, 200
m al Oeste
San José de Costa Rica.
Tel. (506) 220 42 42 y 220 47 70
Fax (506) 220 13 20

Chile
Dr. Aníbal Ariztía 1444.
Providencia.
Santiago de Chile.
Telf (56 2) 384 30 00
Fax (56 2) 384 30 60

Ecuador
Av. Eloy Alfaro N33-347
y Av. 6 de Diciembre.
Quito.
Tel. (593 2) 244 66 56 y 244
21 54
Fax (593 2) 244 87 91

El Salvador
Siemens 51.
Zona Industrial Santa Elena.
Antiguo Cuscatlan - La Libertad.
Tel. (503) 2 505 89
y 2 289 89 20
Fax (503) 2 278 60 66

España
Torrelaguna 60.
28043 Madrid.
Tel. (34 91) 744 90 60
Fax (34 91) 744 92 24

Estados Unidos
2105 NW 86th Avenue.
Doral, FL 33122.
Tel. (1 305) 591 95 22 y 591 22 32
Fax (1 305) 591 91 45

Guatemala
7ª avenida 11-11.
Zona nº 9.
Guatemala CA.
Tel. (502) 24 29 43 00
Fax (502) 24 29 43 43

Honduras
Boulevard Juan Pablo, casa 1626.
Colonia Tepeyac.
Tegucigalpa.
Tel. (504) 239 98 84

México
Av. Universidad, 767.
Colonia del Valle.
03100, México D.F.
Tel. (52 5) 554 20 75 30
Fax (52 5) 556 01 10 67

Panamá
Av. Juan Pablo II, 15.
Apartado Postal 863199,
zona 7.
Urbanización Industrial La
Locería.
Ciudad de Panamá
Tel. (507) 260 09 45

Paraguay
Av. Venezuela 276.
Entre Mariscal López y España.
Asunción.
Tel. y fax (595 21) 213 294 y
214 983

Perú
Av. San Felipe 731.
Jesús María.
Lima.
Tel. (51 1) 218 10 14
Fax. (51 1) 463 39 86

Puerto Rico
Av. Rooselvelt 1506.
Guaynabo 00968.
Puerto Rico.
Tel. (1 787) 781 98 00
Fax (1 787) 782 61 49

República Dominicana
Juan Sánchez Ramírez 9.
Gazcue.
Santo Domingo RD.
Tel. (1809) 682 13 82 y 221
08 70
Fax (1809) 689 10 22

Uruguay
Constitución 1889.
11800.
Montevideo.
Tel. (598 2) 402 73 42 y 402
72 71
Fax (598 2) 401 51 86

Venezuela
Av. Rómulo Gallegos.
Edificio Zulia, 1º.
Sector Monte Cristo.
Boleita Norte.
Caracas.
Tel. (58 212) 235 30 33
Fax (58 212) 239 10 51

Primera edición: noviembre de 2001
Quinta reimpresión: octubre de 2008
ISBN: 978-19-0881-3
Diseño de cubierta: Antonio Ruano Gómez
Fotografía de la cubierta: Rafael González
Impreso en México.

Dedicamos este libro a nuestros hijos
Christopher Wyckoff, Allison Wyckoff, Justin Alex Unell
y Amy Elizabeth Unell, por su desinteresada e inestimable
contribución en su elaboración.

Índice

Agradecimientos

Nos gustaría agradecer a Tom Grady su valioso apoyo durante la elaboración de *Educar con amor y paciencia*. Queremos asimismo dar las gracias a las personas que enumeramos a continuación, sin cuya ayuda este libro aún seguiría rondando por nuestras mentes: Ray Peekner, Robert Unell, Millie Wyckoff, Candance Hanlon, William Cameron (doctor en medicina), Margaret Baldwin, Linda Surbrook, Laura Bloent, Michelle Lange, Edie Nelson, Josephine B. Coleman, Valerie Bielsker, Kathy Mohn, Wilma Yeo y al Greater Kansas City Mother of Twins Club (Club de madres de gemelos de Greater Kansas City), así como a todos los padres que nos han transmitido sus problemas y han dedicado parte de su tiempo y tenacidad a resolverlos con nosotros.

Prefacio

Todos los niños y especialmente los que se hallan en edad preescolar originan problemas de educación, por muy perfectos que sean los niños o los padres. Todos, tanto los perfectamente educados como los que no lo están tanto, independientemente de su raza, color, credo, situación económica y posición social, todos ellos tienen necesidades y deseos, igual que sus padres tienen necesidades e ilusiones respecto a ellos. Cuando estas necesidades y deseos no encajan perfectamente como en un rompecabezas y los preescolares no coinciden plenamente con sus padres, surgen los problemas.

Pero es posible minimizar las intensas dificultades de los padres si éstos aprenden a equiparar sus técnicas paternas con las necesidades de los hijos. Este libro ofrece remedios prácticos para solucionar aquellos problemas de conducta que son comunes en niños normales y sanos, de edades comprendidas entre uno y cinco años, remedios que los padres y educadores pueden aplicar desde el origen de los conflictos que surgen durante el curso normal de la vida familiar. Intentamos mostrar a los padres cómo reaccionar con calma ante los problemas derivados de la educación, de manera efectiva y consistente, sin gritos ni bofetadas. Queremos convertirlos en «padres disciplinados» capaces de controlarse cuando sus hijos pierden el control. Este libro tiene como finalidad combinar lo mejor de los dos mundos, el profesional y el familiar. Escrito por padres de niños pequeños, de preadolescentes y de adolescentes, que apoyan con hechos la resolución de los problemas, profesionales que presentan datos comprobados, sin emplear ningún lenguaje teórico. A lo largo de los últimos veinte años, nos hemos dedicado a estudiar colectivamente la psicología ambiental e infantil en el ámbito universitario; a ayudar al equipo de psicólogos de un hospital infantil estatal y a trabajar como psicólogos en un distrito universitario; a orientar a numerosos grupos de padres y en seminarios nacionales y talleres; a asesorar en algunas facultades y centros de salud mental; a enseñar psicología a nivel universitario; a escribir abundantemente sobre padres e hijos y a educar un total de cuatro hijos.

Las pautas que aquí proponemos para resolver los problemas y las estrategias de educación se basan en datos extraídos del movimiento sobre psicología del comportamiento de los años sesenta y setenta, que estudiaba la conducta de los niños centrándola en «marcos reales» comunes a la mayoría de los niños, como el hogar, la escuela y el patio de recreo. La psicología del comportamiento intenta ofrecer soluciones prácticas a problemas comunes y medir la eficacia de dichas soluciones.

Hemos diseñado este libro de forma que pueda servir de manual a aquellos padres que se enfrentan a diario con dificultades de disciplina, una especie de libro de primeros auxilios para rectificar el mal comportamiento. Reconoce la necesidad de los padres de obtener respuestas breves, inmediatas, directas y prácticas a sus preguntas. El libro ofrece consejos sobre cómo evitar que se produzca una mala conducta y cómo resolverla cuando se produce. Presenta también «historias clínicas» que ilustran cómo un número de familias ficticias utilizaron las estrategias señaladas en el libro para solucionar problemas reales.

Nota: Rogamos lean las pautas de desarrollo (págs. 29 a 32) antes de aplicar lo que han de hacer y lo que no han de hacer. Con ello lograrán comprender las características generales de conducta de los niños de uno a cinco años antes de decidir equivocadamente si dichas características son anormales o de culparse erróneamente de ser los causantes de la mala conducta de su hijo. Por ejemplo, para poder entender lo que motiva a su hijo de dos años a decir siempre no, es útil saber que el negativismo forma parte del desarrollo de la conducta normal del niño de dos años. Esta información les ayudará a establecer si un determinado tipo de conducta constituye un problema en su círculo familiar.

¿A quién llamamos preescolar?

Cuando en este libro hablamos de años preescolares, nos referimos a todos aquellos días sorprendentes y metamórficos durante los cuales un niño de un año parece convertirse repentinamente en un adulto en miniatura de cinco años. Llamamos *preescolar* al niño que no ha experimentado aún la escuela formal, incluyendo los niños de un año y excluyendo a los bebés.

Los recién nacidos y los bebés que aún no han cumplido el primer año son las únicas criaturas gobernadas primariamente por sus necesidades (comer, dormir y contacto humano) satisfechas generalmente por medio de atenciones emocionales y físicas, no por estrategias que son psicológicas por naturaleza. Por esta razón, este libro se basa principalmente en el niño que ya no es un bebé, cuyas necesidades evolucionistas requieren la formación familiar.

Introducción

Los años de preescolar son los primeros de aprendizaje de la vida, de aprendizaje físico, emocional e intelectual. En el mejor de los casos son curiosos, imaginativos, entusiastas e independientes. En el peor, obstinados, cohibidos y mimados. Tanto su personalidad camaleónica como su incapacidad para usar la lógica de los adultos los convierten en alumnos difíciles para aquellos que han de enseñarles esas lecciones de comportamiento. Los preescolares viven en un mundo que les desafía tanto a ellos como a sus padres y la tarea de enseñarles, que es el auténtico significado de la palabra disciplina, resulta unas veces como trabajar con tierra fértil y otras como darse cabezazos contra una pared.

Esto no debiera sorprendernos demasiado. Entre padres e hijos suele existir una diferencia de edad de, al menos, veinte años y ambas partes se encuentran a años luz en experiencia, capacidad de razonamiento y capacidad de autodominio. También tienen diferentes ideas, sentimientos, esperanzas, normas, creencias y valores sobre ellos mismos, sobre el prójimo y sobre el mundo en general.

Los niños, por ejemplo, no nacen sabiendo que no está bien escribir en las paredes. Sólo aprenderán a expresar su talento artístico de forma correcta si sus padres les enseñan continuamente dónde deben escribir, los elogian cuando cumplen las normas y les muestran las consecuencias de romper dichas reglas.

Igualmente, los niños tienen sus propias necesidades, deseos y sentimientos, la mayoría de los cuales no son capaces de expresar demasiado bien. A lo largo de sus primeros cinco años, luchan por convertirse en seres humanos independientes y se rebelan frente al hecho de ser «educados» por gente mayor. Los mayores objetivos que tienen los padres para con sus preescolares son los fines inmediatos que tienen para ellos mismos, autocontrol y autosuficiencia. Si los padres comprenden que actúan con un programa diferente del de su hijo y que las aptitudes de cada hijo son diferentes, entonces serán capaces de sentar las bases de empatía, verdad y respeto bajo la comunicación familiar.

La primera tarea de los padres de niños preescolares es enseñarles de una forma sencilla cómo comportarse de manera apropiada en su mundo privado, en casa y en público. Cuando los padres negocian con las rabietas de su hijo, por ejemplo, no sólo están logrando restaurar la calma y el orden en su casa, sino que le están mostrando a su hijo cómo lograr combatir convenientemente la frustración y la rabia. Y, como profesores de la educación de los hijos, los padres deben «modelar» el tipo de conducta que quieren enseñar y comunicar sus valores personales a sus hijos, de tal modo que les transmitan dichos valores haciendo que les resulten tan importantes como lo son para ellos mismos.

Ser padres es problemático por naturaleza

Dado que la infancia está naturalmente plagada de problemas y conflictos, los padres han de plantearse numerosas cuestiones antes de etiquetar la conducta de ninguno de sus hijos como un «problema».

Piensen con qué frecuencia se da un determinado tipo de mal comportamiento

Después piensen en la intensidad de ese mal comportamiento. Si su hijo se enfada fácilmente, por ejemplo, el enfado puede ser su reacción natural ante/el desacuerdo. Si, por el contrario, su hijo se enfada con tal intensidad que puede lastimarse o lastimar a los demás, entonces necesitarán prestarle alguna atención, al menos para tratar de reducir la intensidad del enfado.

Sean conscientes de su propia tolerancia hacia el mal comportamiento de su hijo

Por ejemplo, debido a sus propias preferencias, necesidades o normas, pueden inclinarse a tolerar o incluso es posible que encuentren divertida alguna mala conducta que a otros padres les parecería intolerable. Sin embargo, los problemas también los definen otros adultos. La frase «¿Qué pensarán los vecinos?» traslada el problema fuera de la familia. Un padre que puede aceptar bien lo que hace un niño en casa puede darse cuenta de que otros no aprobarán esa conducta y decidir actuar de algún modo. Por lo tanto, para los padres, un comportamiento determinado del niño se convierte en origen de un problema desde su propio punto de vista o desde el punto de vista de los demás. Los niños no ven sus rabietas como un problema, por ejemplo; sencillamente aún no han aprendido una manera más apropiada o autocontrolada de solicitar su complacencia.

Para solucionar adecuadamente los problemas de conducta de sus hijos, los padres habrán de ser más disciplinados (definiendo disciplina como un proceso de aprendizaje y de enseñanza que conduce al orden y al autocontrol). La conducta de los padres debe cambiar antes de que cambie la conducta del niño y los padres deben convertirse en «padres disciplinados» antes de que sus hijos se vuelvan disciplinados.

El ABC de los padres disciplinarios

Esta sección contiene un resumen de las investigaciones realizadas a lo largo de veinte años, donde se demuestra que es importante, por razones tanto prácticas como filosóficas, «separar al niño de su conducta» cuando se enfrenta ante problemas de mal comportamiento. Por mucho que llamemos «mal educado» a un niño que deja los juguetes sin ordenar, ni se ordenan sus juguetes ni le enseñan a ser ordenado. El único efecto que puede provocar en el niño es que se forme una mala imagen de sí mismo y posiblemente la expresión se convierta en una profecía. Para la autoestima del niño será mejor concentrarse en maneras específicas y constructivas de modificar la conducta.

Basándonos en estos principios, ahí va nuestro ABC:

Decidan la conducta específica que les gustaría cambiar

Lograrán mejores resultados si luchan contra algo específico y no abstracto. No digan simplemente a su hijo que sea «ordenado»; explíquenle que les gustaría que ordenara sus cosas antes de ir a jugar a la calle.

Digan a su hijo lo que quieren que haga
exactamente y muéstrenle cómo hacerlo

Si quieren que su hijo deje de gimotear cuando quiera algo, muéstrenle cómo ha de pedirlo. Al llevar de la mano a su hijo hacia la acción deseada le ayudan a entender exactamente lo que quieren que haga.

Alaben a su hijo cuando se comporte bien

No alaben al niño, sino lo que el niño está haciendo. Un ejemplo podría ser: «Qué bien que estés sentado», mejor que «¡Buen chico por quedarte sentado!». Centren la alabanza o el reproche en la conducta del niño porque es lo que les interesa controlar.

Continúen con las alabanzas mientras
el nuevo comportamiento necesite de dicho apoyo

Al elogiar todas las cosas buenas que hace el niño le recuerdan sus esperanzas y siguen dominando su propio modelo de buen comportamiento ante ellos. Si los padres quieren enseñar eficazmente, el mejor modo es poner ejemplos sobre lo que quieren que hagan sus hijos. La alabanza sigue reafirmando el modo correcto de hacer las cosas.

Intenten evitar las luchas de poder con sus hijos

Si aplican la técnica de la carrera contrarreloj (véase página 25) cuando quieran que sus hijos vayan antes a la cama, por ejemplo, lograrán reducir el conflicto entre padres e hijos porque se transfiere la autoridad a una figura neutral, el reloj de la cocina.

Estén con ellos siempre que puedan

Esto no significa que los padres deban estar con sus hijos cada minuto del día, sino que se refiere al hecho de que los niños necesitan una supervisión constante. Si los padres están presentes mientras los niños están jugando, pueden dirigir la hora del juego, ayudar a sus hijos a aprender buenos hábitos de juego y lograr que mejoren. Si no les prestan mucha atención, quedarán sin corregir muchos errores de comportamiento.

Eviten ser repetitivos

No repitan continuamente el mal comportamiento pasado. Si un niño comete un error, recordarle constantemente el error sólo provoca en él resentimiento y aumenta la probabilidad de otro mal comportamiento. Lo hecho, hecho está. Tiene más sentido trabajar para conseguir un futuro mejor que mirar hacia atrás. Al recordar los errores a los hijos, sólo les mostramos lo que no ha de hacerse, sin enseñarles lo que realmente habría que hacer. Si recordar a los niños sus errores no sirve de nada, sí les sirve como práctica para cometer errores.

Pegar o gritar es contraproducente

Los principios señalados más arriba representan lo que nosotros como padres deberíamos hacer cuando nos enfrentamos a un mal comportamiento. Lo que solemos hacer, sin embargo, es gritar o darle una bofetada a nuestro hijo, especialmente si estamos cansados, distraídos o frustrados porque no nos han obedecido. Gritar o pegar son respuestas naturales frente al mal comportamiento, especialmente si éste es continuo, pero resultan contraproducentes.

El castigo severo suele originar más problemas de los que resuelve. Por un lado, al gritar o pegar al niño le prestamos una atención errónea y si ésta es la única que recibe, puede que el niño repita la mala conducta con el fin de hacerse notar. Asimismo, los padres no siempre saben si una bofetada funciona porque no suelen observar a la larga su efecto sobre el comportamiento del niño. El castigo suele conducir simplemente a que el mal comportamiento se realice a escondidas: deja de suceder delante de los padres, pero no por detrás. Los niños, de hecho, son auténticos expertos en evitar ser descubiertos. E incluso hay padres que llegan a decir: «¡Que no te vea haciendo eso otra vez!».

Aunque en la jerarquía del desarrollo moral (definido por Lawrence Kohlberg), el nivel inferior es «seguir las normas sólo para evitar el castigo», el nivel superior es «seguir las normas porque son correctas y buenas». Cuando pegamos repetidamente a nuestro hijo por una mala conducta, conseguimos que se detenga en el nivel inferior del desarrollo moral, es decir, sólo estará interesado en evitar el castigo, no en hacer lo que está bien o es correcto.

Al pegar también exponemos al niño por primera vez ante la violencia. Los niños aprenden a reaccionar de manera violenta siguiendo el ejemplo de los adultos. Es difícil justificar advertencias del estilo de: «No pegues», cuando los padres pegan a los niños por pegar. Dado que los niños ven el mundo en términos concretos, un niño que ve que es permisible para un adulto pegar a un niño, asumirá que ha de ser permisible también para un niño pegar a un adulto o a otro niño. El pegar engendra pegar, así como rabia, venganza e interrupción de la comunicación entre padres e hijos.

Hablar interiormente

Animamos a los padres a practicar lo que llamamos hablar interiormente, para que no caigan en la costumbre de decirse cosas irracionales. El hablar interiormente se define mejor como lo que la gente dice para sí, que gobierna su conducta. Si, por ejemplo, un padre dice: «No soporto cuando mi hijo lloriquea», su nivel de tolerancia hacia el lloriqueo se ha reducido considerablemente. Si, por el contrario, el mismo padre se dice a sí mismo: «No me gusta cuando mi hijo lloriquea, pero puedo soportarlo», entonces no sólo es capaz de tolerar durante más tiempo el lloriqueo, sino que también podrá pensar en la manera más adecuada de modificar dicho comportamiento. Hablar interiormente se convierte entonces en una manera de prepararse para un éxito y no para un fracaso. Lo que una persona se dice a sí misma constituye el mensaje más importante que va a recibir, de modo que hablar para uno mismo resulta una herramienta muy útil para padres de preescolares. Si los padres son capaces de tranquilizarse en momentos estresantes hablando un rato consigo mismos, estarán más dispuestos a llevar hasta el final acciones razonables y responsables.

Cómo utilizar este libro

Con el fin de poder utilizar eficazmente este libro, consideren cada apartado denominado «Qué hacer» como el remedio para un determinado problema de comportamiento. Juzguen ustedes mismos la seriedad del problema y comiencen con la medida de primeros auxilios que resulte menos severa. Una norma básica para lograr modificar el comportamiento de un niño es intentar primero la estrategia más suave, que suele ser mostrar a su hijo lo que ha de hacer e incitarle a hacerlo. Si eso no funciona, intenten la siguiente más suave, hasta que encuentren algo que le haga reaccionar. También, dado que es tan importante saber lo que no hay que hacer durante una crisis de conducta, intenten evitar los «noes» enumerados en cada sección.

Con este modo de actuar le ayudarán a evitar problemas de comportamiento aún más serios.

Dado que tanto los padres como los niños son distintos en cada caso, algunas de las palabras y acciones que se aplican en este libro para situaciones específicas les parecerán más naturales a unos que a otros. Cambien una o dos palabras si no son capaces de expresar con naturalidad la frase exacta, ya que los niños de uno a cinco años son extremadamente sensibles a los sentimientos y a las mínimas reacciones de sus padres. Cumplan lo que dicen y hagan que resulte creíble para su hijo, de forma que acepte sus tácticas más fácilmente.

Unas palabras para terminar

Al utilizar estos remedios para alcanzar con éxito la tarea de ser padres, lograrán también aceptar a su hijo, ya que su comportamiento será más razonable. Con estos remedios intentamos también mostrar al niño el tipo de respeto que ha de existir en casa entre unos y otros. Su hijo aprenderá a ser respetuoso si le tratan de manera respetuosa. Traten a su hijo como si fuera un invitado, lo que no quiere decir que no deba seguir las normas, sino que deberá seguirlas con respeto.

Diccionario de disciplina

Definimos a continuación los siguientes términos, tal y como se van a emplear a lo largo de este libro.

Carrera contrarreloj

Método de motivación basado en la naturaleza competitiva del niño. Dado que el niño adora hacer carreras para ser el primero, mediante el uso de un reloj de cocina portátil, los padres pueden establecer una competición entre el niño y el tiempo. La premisa básica es: «¿Serás capaz de terminar antes de que suene el reloj?» Los niños tienen entonces la oportunidad de luchar contra el tiempo y los padres pueden servirles de apoyo. La carrera contrarreloj es un método demostrado capaz de reducir los conflictos y las luchas de poder entre padres e hijos.

Tiempo neutral

Un momento en el que no existe conflicto, como puede ser inmediatamente después de una rabieta, en que el niño permanece tranquilo jugando. El tiempo neutral es el mejor momento para enseñar un nuevo comportamiento, porque es cuando las emociones se encuentran en calma y los niños se vuelven más receptivos (como los adultos) para aprender, sin «interferencias estáticas».

Elogios

Es reconocer verbalmente una conducta que queremos destacar. Siempre hemos de dirigir el elogio a la conducta en sí, no al niño. Es mejor decir «¡Qué bien has comido!» en lugar de «¡Buen chico por haber comido tan bien!». Los elogios proporcionan un modelo para lograr un estado que conduce al niño a un nivel más alto de desarrollo moral.

Reprimendas

Una frase arbitraria que incluye la orden de dejar de tener ese comportamiento, una razón de por qué ha de cesar el comportamiento y una alternativa a dicho comportamiento. Por ejemplo: «¡Deja de pegar! ¡Le vas a hacer daño! Pídele por favor que te deje el juguete»

Norma

Una serie de indicaciones predeterminadas que exponen resultados y consecuencias. Establecer y cumplir las normas son técnicas de resolución de problemas, porque está comprobado que los niños se comportarán de manera más aceptable si su mundo es predecible y son capaces de anticipar las consecuencias de dicha conducta.

La norma de la abuela

Un acuerdo contractual que sigue el patrón de «Cuando hayas hecho X, podrás hacer Y» (que es lo que realmente quiere hacer el niño). La norma de la abuela se aplica mejor en lo positivo que en lo negativo. Es incondicional. Nunca sustituye la palabra «si» por «cuando», lo que hace que el niño pregunte: «¿y qué pasa si no hago X?» Un antiguo axioma era «Cuando trabajes, comerás». De este dicho surgió la norma de la abuela, que se ha demostrado que ejerce un efecto poderoso sobre el comportamiento porque establece ciertos apoyos (por ejemplo, recompensas, consecuencias positivas) para la conducta apropiada.

Tiempo muerto

Apartar a una persona de la probabilidad de una interacción social durante un periodo de tiempo. Un tiempo muerto típico de un niño podría ser sentarlo en una silla durante un rato o mandarlo a su habitación durante un periodo específico. Una regla práctica es un minuto de tiempo muerto por cada año de edad del niño. Cuando eduquen al niño de este modo, pídanle que vaya al lugar que ustedes mismos hayan elegido y pongan en marcha el reloj para marcar el tiempo que hayan determinado. Si se levanta de la silla antes de que haya sonado el reloj, vuelvan a ponerlo en hora y hagan que el niño permanezca en la silla hasta que suene de nuevo. Repitan el proceso hasta que el niño haya estado sentado el tiempo que habían elegido. Los estudios realizados han demostrado que este método es una alternativa excelente frente a otros metodos tradicionales más violentos empleados para detener un mal comportamiento, como puede ser una bofetada. ¿Por qué? Porque el aislamiento tiene como efecto evitar al niño cualquier probabilidad de recibir algún apoyo (por ejemplo, atención verbal, contacto físico) o cualquier consecuencia positiva para un comportamiento inapropiado durante el periodo de aislamiento.

Pautas de desarrollo

La lista que describimos más adelante revela algunos de los objetivos que los padres de niños normales, cuya edad oscila entre uno y cinco años, pueden esperar alcanzar durante los años de preescolar. Se trata de características generales, agrupadas según la edad en que generalmente ocurren. Dado que cada niño desarrolla su propio programa, la «edad objetiva» puede ir por delante o por detrás de la edad cronológica. Utilicen estas directrices únicamente para tomar conciencia sobre lo que sucede durante una etapa determinada del desarrollo, teniendo en cuenta que el comportamiento de su hijo puede ser normal, pero puede requerir cierta disciplina familiar para asegurar el bienestar emocional y mental tanto para él como para ustedes.

Pautas

Edad 1 a 2 años

- **Explora el entorno; se sube a las cosas.**
- **Duerme mucha siesta.**
- **Juega sólo durante cortos periodos de tiempo.**
- **Explora todo su cuerpo.**

Pautas

- Corre, trepa, sube, baja... es muy activo.
- Las piernas llenas de golpes.
- Come él solo con los dedos, cuchara, vaso.
- Puede quitarse alguna prenda al desvestirse.
- Explora los genitales.
- Duerme menos, se despierta más fácilmente.
- Le gusta la rutina.
- No soporta que su madre salga por la noche.
- Quiere hacer las cosas solo.
- Es protestón e indeciso; cambia de opinión.
- Tiene alguna rabieta y cambios de humor.
- Imita a los adultos.
- Juega junto a los niños de su edad, pero no con ellos.
- Aún no es capaz de compartir, esperar, seguir un turno, ceder.
- Adora jugar en el agua.
- Prolonga las «buenas noches».
- Utiliza palabras sencillas, frases cortas.
- Es negativo; dice no.
- Entiende más de lo que puede expresar.

Edad 2 a 3 años

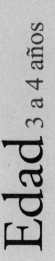

Edad 3 a 4 años

- Corre, salta y trepa.
- Come él solo; bebe fácilmente de un vaso.
- Puede llevar cosas sin derramar nada.
- Puede ayudar a vestirse y desvestirse.
- Puede dejar de dormir la siesta, pero juega tranquilamente.
- Sensible a los adultos, busca su aprobación.
- Sensible a las expresiones de desaprobación.
- Coopera, le gusta realizar recados sencillos.
- Está en el momento del «yo también»: quiere que lo incluyan.
- Es curioso respecto a las cosas y a las personas.
- Es imaginativo, puede temer a la oscuridad o a los animales.
- Puede tener un compañero imaginario.
- Puede salir de su cama por la noche.
- Es parlanchín, con frases cortas.
- Capaz de esperar su turno.
- Capaz de aceptar alguna responsabilidad (por ejemplo, guardar los juguetes).
- Juega bien solo, pero el juego en grupo puede ser agitado.
- Se encuentra muy unido al padre del sexo opuesto.
- Es celoso, especialmente de algún recién nacido.
- Muestra sentimientos de culpabilidad.
- Libera la inseguridad emocional mediante gimoteos, lloros, pidiendo muestras de cariño.
- Libera la tensión chupándose el dedo, mordiéndose las uñas.
- Es expresivo.

Pautas

- Continúa ganando peso y creciendo.
- Continúa ganando en coordinación.
- Come bien, duerme bien y elimina bien.
- Es muy activo.
- Comienza a hacer cosas, pero no necesariamente las termina.
- Es mandón, presumido.
- Juega con los demás, pero es autosuficiente.
- Tiene pequeñas riñas.
- Habla claramente, es un gran parlanchín.
- Cuenta historias, exagera.
- Inventa palabras sin sentido con muchas sílabas.
- Se ríe a carcajadas.
- Pierde el tiempo.
- Se baña cuando se lo piden.
- Etapa del «¿cómo?» y el «¿por qué?»
- Imaginación muy activa.
- Demuestra dependencia de sus hermanos y compañeros.

Edad 4 a 5 años

Se niegan a ir a la cama

Los niños activos y enérgicos que no tienen ganas de dormir pueden convertir la hora de ir a la cama o de dormir la siesta en una auténtica persecución, con lloros o deseos de escuchar historias para posponer ese momento que les da pavor. No importa la hora que su hijo piense que se tiene que ir a descansar, manténganse firmes con la hora que ustedes elijan. Pero permitan que su hijo vaya haciéndose a la idea, avisándole con anterioridad.

Nota: Como la necesidad de dormir de su hijo irá variando con la edad, puede que sea necesario que se acueste más tarde o que duerma menos siesta según vaya creciendo. Además, no todos los niños (incluso en una misma familia) necesitan las mismas horas de sueño. Por ejemplo, puede que un niño de dos años no necesite las mismas horas de descanso que su hermano mayor cuando tenía dos años.

Cómo evitar el problema

Conversar un poco antes de ir a la cama

Conviertan en una costumbre el finalizar el día o comenzar la siesta creando un sentimiento especial entre ustedes y su hijo, a base de cantarle una nana o contarle un cuento. Hagan que el evento sea especial, de modo que su hijo espere impaciente a que llegue. Pueden cantarle una canción de cuna que les guste o con la que usted haya disfrutado de pequeño, o contarle lo que han hecho durante el día, aunque la conversación se convierta en un monólogo.

Convertir el ejercicio en un hábito diario
Asegúrense de que su hijo ejercita el cuerpo durante el día de tal modo que acabe agotado y el cuerpo le pida ir a la cama.

Limitar las siestas
Si permiten que el niño duerma la siesta hasta el atardecer, no esperen después que el niño se vaya a la cama a la hora acostumbrada. Si fuera necesario, despiértenlo antes, para intercalar el tiempo empleado para dormir y el empleado para estar despierto.

Compartir experiencias antes de la hora de acostarse
Jueguen con el niño antes de anunciar que ha llegado la hora de acostarse, para evitar una posible pelea con el único fin de llamar la atención.

Hacer que el niño duerma el tiempo que necesita
Descubran el número de horas que necesita dormir su hijo observando cómo actúa cuando ha dormido una buena siesta y cómo se comporta cuando no lo ha hecho, o si se ha ido a la cama a las 9.00 ó a las 7.00. Establezcan después un programa de sueño para fijar un horario.

Cómo solucionar el problema

Qué hacer

Jugar a la carrera contrarreloj
Así funciona: una hora antes de irse a la cama (o antes de la siesta), programen el reloj cinco minutos, lo que permitirá a su hijo antici-

34

parse a los acontecimientos. Cuando suene el reloj, prográmenlo de nuevo otros quince minutos, tiempo durante el cual ustedes y su hijo (o si es capaz él solo) realizan las tareas previas al momento de ir a la cama (bañarse, ponerse el pijama, lavarse los dientes, beber agua, ir al cuarto de baño, etc.) Si su hijo consigue ganar al reloj, puede quedarse levantado jugando los cuarenta minutos restantes. Si no es el caso, no le concedan demasiada importancia, simplemente llévenlo a la cama.

Seguir los mismos pasos a la hora de dormir, independientemente de la hora que sea

Aunque se haya retrasado la hora de dormir por cualquier razón, sigan los mismos rituales para que su hijo aprenda lo que esperan de él cuando llega el momento de irse a la cama. No mencionen lo tarde que es; aceleren el paso ayudándole a ponerse el pijama o a beber agua, por ejemplo, y programen el reloj desde el principio a treinta minutos, en lugar de la hora que programan normalmente, pero sin omitir ninguno de los pasos.

Efectuar cada paso siempre en el mismo orden

Dado que los niños de esta edad se acostumbran mediante la repetición, hagan que se bañe, se lave los dientes y se ponga el pijama siguiendo un mismo orden todas las noches. Mientras realizan el ritual, si van preguntando a su hijo que adivine el paso siguiente, lo convertirán en un juego en el que es su hijo quien dirige los pasos.

Ofrecer un premio por ganar

Elogien a su hijo al despertarlo, con la buena nueva de que haber ganado al reloj merece la pena. Pueden decirle: «Lo hiciste tan bien al acostarte, que voy a prepararte tu desayuno favorito» o «Como te acostaste tan bien, voy a contarte un cuento».

Qué no hacer

No permitan que sea su hijo quien imponga la hora de acostarse

Manténganse firmes respecto a la hora elegida para acostar a su hijo, ignorando la resistencia que pueda oponer o los intentos por retrasarla. Recuerden que saben por qué su hijo no quiere ir a la cama y por qué ha de hacerlo. Recuérdense a sí mismos: «Llora sólo porque no quiere terminar de jugar, pero sé perfectamente que, si duerme ahora, después jugará mucho más contento.»

No empleen amenazas ni azotes

Amenazar o pegar a su hijo para que se vaya a la cama puede provocar en él pesadillas y miedos, aparte de hacer que ustedes se sientan culpables y tristes a causa de su comportamiento. Empleen el reloj como una autoridad neutral, para determinar el momento en que ha de irse a la cama y evitar que les eche a ustedes la culpa.

No le recuerden su naturaleza inquieta

Cuando el niño se despierte, no lo recriminen por haberse resistido al sueño anteriormente. Repitan el juego contrarreloj hasta que lo realice de forma natural.

La hora de dormir de Sam

Todas las noches en la casa de los Shore sucedía lo mismo, la eterna lucha de poder entre Sam, de tres años, y su padre, cuando llegaba la hora de anunciar al pequeño que tenía que ir a dormir.

«¡No estoy cansado! ¡No quiero ir a la cama! ¡Quiero seguir levantado!», suplicaba Sam todas las noches, mientras su padre, enfadado, lo arrastraba hacia la cama.

«Ya sé que no quieres irte a la cama», le decía, «pero tienes que hacer lo que yo diga y te digo que te vayas a la cama.»

Al señor Shore le entristecía mucho más que a su hijo tener que obligarle a que se fuera a la cama. Aunque sabía perfectamente que él era quien mandaba, también sabía que esas peleas hacían que Sam se quedara llorando sobre la almohada mientras que él se desesperaba pensando cómo demonios lograr que el momento de irse a dormir resultara menos problemático.

Una noche, el señor Shore decidió controlarse y dejar que fuera otra cosa, el reloj de la cocina, quien llevara el control. Una hora antes de acostar a Sam, lo programó cinco minutos.

«Es hora de que empecemos a prepararlo todo para ir a dormir», explicó el padre a su intrigado hijo. «Si eres capaz de prepararte para ir a la cama antes de que suene el reloj, lo programaremos de nuevo y permitiré que te quedes despierto el resto de la hora, jugando. Si no lo consigues, deberás irte a la cama inmediatamente y no jugarás hasta mañana.»

Sam corrió como nunca y consiguió estar listo para ir a la cama antes de que el reloj sonara. Como prometió, su padre programó de nuevo el reloj, se puso a leer a Sam su cuento favorito y después le cantó una canción de cuna, hasta que el reloj sonó de nuevo, casi una hora después.

«Es la hora de dormir ¿verdad?», dijo Sam, encantado de haber comprendido el juego.

«¡Exacto! ¡Qué listo eres!», le dijo su padre.

Mientras los dos se iban a la cama, el señor Shore le volvió a decir lo orgulloso que se sentía por haber ganado al nuevo juego. Los estímulos y beneficios que padre e hijo compartieron les ayudaron a disfrutar de la primera noche en que el niño se iba a la cama sin protestar desde hacía meses. Tras varias semanas de practicar esta costumbre, desapareció el problema para ambos, aunque Sam nunca deseaba que llegase el momento de irse a dormir.

Se levantan por la noche

Los niños menores de seis años son auténticos especialistas en bombardear a preguntas, pedir un cuento, un beso o incluso en meterse en la cama de los padres inmediatamente después de que éstos se alejen de su lado o apaguen las luces. No olviden que lo que su hijo realmente necesita por la noche es dormir. Por mucho que un niño intente que sus padres le lean diez libros y le den cuatro vasos de agua, lo único que persigue es comprobar hasta dónde son capaces de llegar sin perder la paciencia o que sigan a su lado. Enseñen a su hijo que le costará menos conseguir que sus padres vayan a su lado si se duerme pronto que si se pone a llamar la atención.

Nota: Si no saben distinguir si lo que su hijo está pidiendo es una auténtica necesidad o simplemente un capricho (si su hijo aún no habla o sólo llora en lugar de pedir lo que quiere) comprueben que no está enfermo. Si no le pasa nada, abrácenlo y bésenlo sin extenderse demasiado (treinta segundos máximo) y salgan de la habitación. Díganle cariñosa pero firmemente que es hora de dormir, no de jugar.

Cómo evitar el problema

Discutir las reglas relativas a la hora de irse a dormir cuando aún no ha llegado el momento de irse a dormir.

Pongan al niño unos límites sobre el número de vasos de agua o excursiones al cuarto de baño que puede realizar a la hora de irse a dormir. Explíquenle las reglas en un tiempo neutral, para que se dé cuenta de lo que realmente quieren que haga cuando llegue el momento de ir a la cama. Por ejemplo pueden decirle: «Puedes llevarte dos cuentos a la cama y beber un vaso de agua. Te contaré los dos cuentos antes de que te quedes dormido.» Si a su hijo le gusta ir a la cama de sus padres, decidan antes de que llegue el momento si las reglas lo permiten. No existe evidencia alguna de que sea bueno o malo para los niños dormir en la misma cama que sus padres.

Prometer al niño algún premio por cumplir las reglas
Hagan saber a su hijo que si sigue las reglas y no las rompe, obtendrá su recompensa. Por ejemplo, «Si te quedas toda la noche en tu cama (si es ésa una de las reglas), podrás tomar cereales en el desayuno». Los premios pueden incluir desayunos especiales, paseos al parque, juegos, tiempo de juego con los padres o cualquier cosa que sepan que le gusta.

Sugerir la idea de dormirse de nuevo
Recuerden a su hijo las reglas mientras lo acuestan y así le recordarán anteriores discusiones.

Cómo solucionar el problema

Qué hacer

Ayudar a su hijo a cumplir las normas
Hagan que romper las normas tenga más inconvenientes que ventajas. Cuando su hijo rompa una norma, pidiendo por ejemplo más de dos vasos de agua, pueden acercarse a su cama y decirle: «Lo siento,

pero te has levantado y has roto la norma de beber sólo dos vasos de agua. Ahora te toca tener la puerta cerrada, como dijimos antes» (si era eso lo que quedaron en hacer si bebía más de dos vasos de agua).

Mantenerse firme con las reglas

Cumplan la norma cada vez que su hijo la rompa, para demostrarle que lo que dicen va en serio. Por ejemplo, cuando hayan metido a su hijo en la cama, después de que haya peregrinado a la cama de sus padres, violando una de las normas, pueden decirle: «Lo siento, pero has venido a nuestra cama. Recuerda la norma: cada uno duerme en su cama. Te quiero mucho, hijo... ¡Hasta mañana!»

Actuar igual con los premios

Asegúrense de que su hijo confía en ustedes, otorgando siempre el premio por seguir las normas.

Qué no hacer

Incumplir alguna promesa

Una vez que hayan marcado las normas, no las cambien a menos que lo discutan primero con su hijo. Cada vez que no le hagan cumplir las reglas, su hijo sólo aprenderá a seguir intentando conseguir lo que quiere, aunque le hayan dicho que no.

No hacer caso del llanto

Si su hijo chilla porque le han hecho obedecer una regla, recuerden que está aprendiendo algo importante para su salud, que la noche es para dormir. Controlen el tiempo que llora su hijo, para ver el progreso que han realizado al obligarlo a que no se resista a dormir. Si no hacen caso del llanto, deberá disminuir gradualmente su duración hasta que desaparezca por completo.

No emplear amenazas ni miedos

Con amenazas como «Si te levantas de la cama, los monstruos te atraparán» o «Si haces esto de nuevo, ¡te doy una nalgada!», sólo aumentarán el problema porque, a menos que las cumplan, las amenazas no son más que palabras sin sentido. Puede que el miedo haga que el niño se quede en la cama, pero éste se puede generalizar de manera que el niño llegue a temer otras muchas cosas.

No hablar al niño a gritos desde otra estancia

Si gritan amenazas o normas a su hijo desde otra habitación, le enseñan a gritar y le transmiten el mensaje de que no les preocupa demasiado como para hablarle cara a cara.

Excursiones nocturnas
de Jennifer

Jennifer Long, de dos años y medio, no se despertaba en toda la noche desde que tenía seis meses. Sin embargo, desde hacía un mes, a las pocas horas de quedarse dormida, sus amodorrados padres se despertaban sobresaltados al oír los gritos de «¡mami!, ¡papi!»

Al principio, tanto el padre como la madre saltaban de la cama para ver qué sucedía con su hijita, encontrándose que la niña quería un vaso de agua una noche, un abrazo extra la noche siguiente, mientras que otras noches quería ir a hacer pipí.

Tras varias semanas de interrupciones, los agotados padres decidieron tomárselo en serio y acabar con aquellos caprichos.

«Si no te quedas en la cama, te caerá un buen castigo, jovencita», le dijeron. Y volvieron a su cama, mientras su hijita bajaba las escaleras para seguirlos a su habitación. Intentaron convencerla con base en pequeños azotes y diciéndole: «¡O vas a la cama o te preparas!»

Pero el sistema parecía ser bastante ineficaz.

Los Long sabían perfectamente que era normal que Jennifer se despertara por la noche, todo el mundo pasaba por etapas de sueño profundo y por otras de sueño superficial. Pero también sabían que su hija debería elegir volver a dormirse en lugar de llamar a sus padres. Para resolver el problema, planearon prestar a Jennifer más atención si era capaz de quedarse en la cama.

«Si permaneces en la cama sin llamarnos», le dijeron al llevarla a la cama la noche anterior, «tendrás tu sorpresa favorita en el desayuno, por la mañana. Pero si nos llamas por la noche, cerraremos la puerta de tu habitación, tendrás que quedarte en la cama y te quedarás sin sorpresa».

Se aseguraron de expresar la nueva regla en términos claramente comprensibles para una niña de tres años.

Esa noche, Jennifer llamó a su madre: «Quiero agua.»

Pero su madre llevó a cabo su promesa de cerrar la puerta y no responder a sus gritos: «Lo siento Jennifer, pero como no has vuelto a dormirte, cerraré la puerta. Te veré por la mañana.»

Después de tres noches de puerta cerrada y sueño interrumpido para los Long, Jennifer aprendió que si gritaba no conseguía que sus padres acudieran a su lado, mientras que si se quedaba tranquila en su cama toda la noche se materializarían sus sorpresas a la mañana siguiente. Y no sólo lograron sus padres el ansiado descanso, sino que Jennifer consiguió sentirse adulta e importante por dormir toda la noche... ¡Dos recompensas extra!

No comen

A pesar de que los padres se empeñan en que sus hijos coman bien desde que comienzan a educarlos, hoy en día muchos niños menores de seis años aún están más interesados en investigar el mundo que les rodea que en masticar. Si les parece importante la tentación de obligar a su hijo a comer, intenten prestar más atención a las ocasiones en que el niño come (aunque sea un chícharo) que a las que no come.

Nota: No tengan en cuenta la conducta del niño que no come temporalmente por causa de alguna enfermedad. Pidan ayuda profesional si piensan que su hijo no come porque está físicamente enfermo y no puede comer.

Cómo evitar el problema

El ejemplo de los padres, no saltarse ningún alimento
Si los padres dejan de comer algo, el niño se quedará con la idea de que dejar de comer algo es bueno para él, ya que lo es para ellos.

No idealizar ni estar gordo ni estar delgado
Incluso un niño de tres años puede llegar a obsesionarse con su peso si le enseñan a ello.

**Aprender la cantidad de alimento necesario
correspondiente a la edad y al peso de su hijo**

Estudien cuáles son los niveles normales para la edad de su hijo, de manera que actúen de forma adecuada (véase Apéndice II, página 229).

Crear un horario de comidas

Implanten en su hijo la necesidad de comer a determinadas horas y su cuerpo le pedirá comer a dichas horas.

Cómo solucionar el problema

Qué hacer

Estimular menos cantidad de comida, más veces al día

El estómago de su hijo no es tan grande como el suyo, de modo que es normal que no soporte más de tres o cuatro horas sin comer. Permitan que su hijo coma todas las veces que quiera, pero siempre alimentos nutritivos. Por ejemplo, pueden decirle: «Cuando tengas hambre, dímelo y te daré un vaso de leche con cereales o una fruta y un poquito de queso.» Asegúrense de que sus sugerencias sean auténticas, según la comida que tengan en casa o a qué hora estará preparada la comida o la cena.

Dejar que su hijo elija la comida

Dejen que su hijo decida (a veces) lo que quiere comer o cenar (con su supervisión). Si el niño siente que ejerce cierto control sobre lo que está comiendo, se sentirá más entusiasta con la comida. Elogien sus buenas elecciones (propónganle sólo dos alternativas, para que al niño no le abrume tener que decidir), con comentarios del estilo de: «Me encanta que hayas elegido comer naranja; es un alimento perfecto.»

La comida ha de ser variada y equilibrada

Los niños necesitan aprender la dieta apropiada. Conviertan la enseñanza en un juego, ofreciéndole una serie de sabores, texturas, colores y aromas de alimentos nutritivos. Recuerden que el gusto del niño de esa edad parece cambiar cada día, de modo que no les extrañe que su hijo desprecie hoy un alimento que la semana anterior parecía ser su favorito.

Dejar que la naturaleza siga su curso

Un niño sano y normal seleccionará naturalmente una dieta equilibrada en unas semanas, lo que los pediatras llaman nutrirse adecuadamente por sí mismos. Tomen nota mentalmente de lo que ha comido su hijo durante toda la semana, no a lo largo del mismo día, antes de alarmarse porque el niño está desnutrido.

Sorprender al niño con la boca llena

Animen a su hijo cuando traga una cucharada, para enseñarle que llama más la atención si come bien que si no come. Alaben los buenos hábitos con frases como: «¡Qué bien!, has conseguido comer tú solo este trocito de carne» o «¡Cómo me alegro de que te hayan gustado las albóndigas que comimos hoy!»

Hacer que la hora de comer sea para comer

Como no tienen el mismo horario que los padres, los niños suelen querer seguir jugando o terminar su construcción cuando llega el momento de comer. Pueden necesitar que les enseñen a cambiar su hora por la de sus padres, para poder sentarse juntos, al menos. No intenten hacerlo obligando a su hijo a comer mucha comida, sino programando el reloj durante el tiempo que habrá de permanecer en la mesa, coma o no coma. Díganle por ejemplo: «El reloj va a contarnos cuándo termina la comida. La norma es que debes permanecer en la mesa hasta que suene el reloj. Cuando termines, me lo dices y te retiro el plato». Si el niño tiene menos de tres años, hagan que permanezca en la mesa menos que el que tiene cuatro o cinco años, que puede aguantar más. Presten atención al momento en que su hijo parece tener hambre para conocer su reloj biológico, al cual deberán adaptarse, de ser posible.

Qué no hacer

No ofrecerle siempre un premio por comer
No pierdan el sentido de para qué sirve realmente la comida, cuya misión es proporcionar alimento. La comida no es sinónimo de premio. Pueden decirle: «Si comes todos los chícharos, podrás salir a jugar después de cenar.»

No sobornar ni suplicar
Si su hijo no come, no lo sobornen ni le supliquen que deje limpio el plato. Con ello consiguen que no comer se convierta en un juego para llamar la atención, al tiempo que proporciona al niño una sensación de poder sobre sus padres.

No perder la paciencia si el niño no come
Si le prestan demasiada atención a su hijo por no comer, el niño se sentirá mucho más satisfecho por no comer que por hacerlo.

No hablar con los demás del tema de que su hijo no come
No pierdan la perspectiva de la atención que le prestan a los hábitos alimenticios del niño, para que la comida no se convierta en la batalla de cada día, donde impera la lucha de fuerzas.

No quiero comer

Cuando John Rowland cumplió cuatro años, su apetito descendió a cero. Ni sus padres ni el pediatra al que le llevó su madre, desesperada, sabían la causa.

Una noche, después de que la señora Rowland luchara con el niño para que se tomara sólo «un chícharo» John agarró una rabieta y tiró el plato, mientras gritaba: «¡No quiero comer!» El señor Rowland decidió que su mujer llevaba demasiado tiempo soportando la situación.

«¡Escúchame bien, Johnny! Si no tomas un tenedor de macarrones, tendrás que levantarte de la mesa», amenazó, soltando severamente a su hijo la nueva norma y sin adivinar que lo que más podía desear Johnny era una invitación a bajarse de la silla.

«¡Johnny Rowland, no te levantes de la silla! Aunque sea te quedarás toda la noche, hasta que te lo acabes todo», ordenó después el señor Rowland, cambiando así las normas y confundiendo a su hijo.

Más tarde, cuando dieron las buenas noches a su hijo y lo metieron en la cama, los Rowland decidieron que había que hacer algo más, ya que estaban comenzando a gritar a su hijo y a darle algún que otro azote. Lo único que querían conseguir era que el niño volviera a comer tranquilamente, como siempre había hecho, un rato para comer y un rato para disfrutar contando cuentos, cantando y hablando sobre los sucesos diarios.

La noche siguiente trataron de hablar de otras cosas, sin prestar atención a la falta de apetito del niño.

«Cuéntanos cómo te ha ido hoy en la escuela, de ayudante de curso», comenzó la madre, con toda la sinceridad y tranquilidad que pudo reunir, mientras pasaba la ensalada a su marido. John se animó y empezó a contar cómo lo habían elegido para llevar la bandera y mientras relataba entusiasmado sus hazañas iba tomándose el puré de patatas.

«¡Qué suerte haber podido ser tan buen ayudante hoy!», alabó la señora Rowland a su hijo. «Además, me encanta que te guste el puré de papas», añadió.

Los Rowland siguieron comiendo, pero refrenaron el impulso de decir a su hijo que tomara un poquito más.

La mañana siguiente los Rowland discutieron el asunto de la noche anterior y decidieron continuar con la misma táctica, añadiendo una sugerencia del pediatra:

«Como John es pequeño sólo puede tomar pequeñas cantidades, pero puede comer más de tres veces al día, como hace mucha gente», les había dicho el doctor.

De este modo, la cena dejó de ser un problema diario para la señora Rowland. Se ocupó de que hubiera siempre en casa alimentos para picar entre horas, como queso, palitos de zanahoria, frutas. Johny desarrolló un nuevo interés en comer durante el día y las cenas comenzaron a ser más rápidas. Pero los Rowland valoraban los minutos en que John comía y permitieron que fuera él quien eligiera cuándo tenía hambre o no.

Juegan con la comida

Elijan a un niño de uno, dos o tres años, añadan la comida que no quiere tomar y encontrarán a sus padres con una mancha en sus manos, en las manos del niño e indudablemente en el suelo y en la mesa. Cuando un niño no quiere llevarse la comida a la boca, al jugar con las manos con su comida les está diciendo que ya ha comido lo que quería, lo sepa expresar con palabras o no. Les aconsejamos que aparten al niño de la comida en cuanto ésta empiece a ser un arma o una pieza de arcilla, para enseñarle que los alimentos son para ser engullidos y que si no come, no han de estar allí, aunque el niño se quede con hambre.

Cómo evitar el problema

Evitar jugar con la comida
Si el niño ve que sus padres juegan con el tenedor y los chícharos, incluso inconscientemente, pensará que él también puede hacerlo.

Proponer alimentos que al niño le gusten (al menos uno de ellos) y que pueda comer
La comida ha de estar partida en trozos que se coman fácilmente. Para minimizar el trabajo de llevarse la comida a la boca, antes de que el niño se siente, partan los alimentos y el pan.

No poner en la mesa trastos con comida
Mantengan alejado al niño juguetón de la tentación de remover la comida por diversión.

Enseñar al niño las normas de la mesa
(para el que no come, tiempo neutral)
Su hijo necesita saber cómo esperan que se comporte en un restaurante y en casa porque no nace sabiendo los buenos modales. Por ejemplo, organicen meriendas frecuentes para enseñarle a usar la cuchara, dejen comida sobre la mesa, hagan que tenga las manos lejos de la comida, explíquenle cuándo lo hace bien, etc. A un niño de dos años pueden decirle: «Cuando digas, ¡ya terminé!, puedes levantarte de la mesa para ir a jugar.» Al niño de tres, cuatro o cinco años, le dirán: «Cuando suene el reloj, podrás levantarte. Avísame cuando termines y te retiro el plato.»

Hablar con su hijo en la mesa
Si mantienen una conversación con su hijo, no necesitará llamar su atención de otra manera, como puede ser jugando con la comida.

Cómo solucionar el problema

Qué hacer

Felicitar al niño siempre que se comporte bien en la mesa
Cada vez que el niño esté en la mesa sin jugar con la comida, exprésenle su satisfacción por lo bien que está comiendo, transmitiéndole la idea de que obtiene mayor atención por comer bien. Por ejemplo, pueden decirle: «¡Qué bien tomas los chícharos con el tenedor!» O esto otro: «Gracias por enrollar los espagueti en el tenedor, como te he enseñado.»

Hacer que sea poco apetecible jugar con la comida
Si su hijo rompe una norma sobre la comida que hubieran discutido anteriormente, muéstrenle las consecuencias, para que sea consciente de que por haber jugado con la comida se ha quedado sin un ratito de recreo. Por ejemplo: «Siento que hayas metido la mano en el puré de papas. La cena ha terminado. Te toca levantar la mesa.»

Cuando el niño empieza a jugar con la comida, preguntar por qué lo hace
No asuman inmediatamente que su hijo está cometiendo una trastada. Pregúntenle por qué está diseccionando el filete para darle la oportunidad de que se explique (si es capaz de expresarse).

Qué no hacer

No perder la calma
Aunque les saque de quicio contemplar cómo su hijo malogra la comida jugando con ella, puede que ésa sea la causa de que se comporte de tal modo ante la comida. Su hijo crece con el convencimiento de que puede cambiar el mundo (para bien y para mal). No permitan que jugar con la comida se convierta en una manera de llamar la atención, ignorando cualquier juego que no destruya la comida y que encuentren aceptable en la mesa.

No ceder
Si su hijo ha de pagar el precio de haber jugado con la comida, no cedan y le levanten el castigo, por mucho que llore convenciéndolos de que es demasiado severo. Enseñen a su hijo que, cuando se hace un trato, siempre hay que cumplir lo que se dice.

El desastre de la cena

La hora de la cena en casa de los Langner se parecía más a una clase de arte que a una comida, ya que el pequeño de tres años se dedicaba a desparramar la comida alrededor de su plato y a escupir todo lo que no le gustaba.

Sus padres, desesperados ante los juegos excesivos de su hijo, intentaban evitarlo recriminándole: «¡No juegues con la comida!», cada vez que Nick comenzaba a hacer de las suyas.

Aún cuando su madre amenazaba: «Si vuelves a hacer eso con los chícharos, ¡te levanto de la mesa!», Nick seguía intentando encestar otro chícharo en el vaso de leche.

Tampoco daban resultado los azotes; Nick seguía masticando el primer bocado mientras se dedicaba a alimentar a todas las plantas de alrededor a base de judías y trozos de salchicha.

Los Langner comenzaron a anticiparse y le quitaban el plato cuando veían que Nick empezaba a estar harto y miraba pícaramente a su alrededor, pensando dónde podía lanzar las papas fritas y los ejotes que quedaban sobre el plato. La madre de Nick empleó también un ratito al día a enseñar a su hijo a decir «Estoy lleno», frase que podría utilizar para señalar que ya había comido suficiente.

Los padres de Nick se habían relajado al ver que llevaban tres semanas sin ningún espectáculo en la mesa, cuando de pronto Nick comenzó a manchar todo el mantel con el puré. Como ya habían decidido cuál sería la norma para ese tipo de «desliz», se lo explicaron tranquilamente al niño.

«Ahora que has terminado de hacer esta cochinada, te toca limpiarlo todo», le informaron, al tiempo que le mostraban cómo hacerlo, en lugar de gritarle.

El niño no consiguió llamar la atención por tener que limpiar sus gracias y le costó tres noches de profundas limpiezas antes de comenzar a decir «Estoy lleno», en lugar de convertir los alrededores en zona catastrófica. Descubrió que esas palabras eran mágicas, porque provocaban enormes abrazos y besos por parte de los padres, quienes decían:

«Gracias por decir 'Estoy lleno', Nick». Como ya sabemos que has terminado de cenar, puedes ir a jugar con tus coches hasta que terminemos nosotros.»

Toda la familia descansó, contando lo maravilloso que era ver comer a Nick, en lugar de lo destructivo que era con la comida. Las cenas con su hijo pasaron a ser más breves, pero más agradables que antes.

Comen en demasía

Muchos niños de esta edad pueden llegar a tener un apetito insaciable, como el famoso Monstruo de las galletas de la televisión. Igual que dicho héroe infantil, su hijo no es consciente de por qué quiere comer más de lo que necesita. Les corresponde a los padres aprender lo que han de hacer para modificar esos hábitos alimenticios y orientarlos por buen camino. Está claro que comer en exceso es un síntoma de que existe algún problema, no el problema en sí, con lo cual habrán de intentar descubrir las razones por las cuales el estómago de su hijo parece un pozo sin fondo. Observen, por ejemplo, si su hijo come excesivamente debido al aburrimiento, al mimo o al deseo de llamar la atención. Ayúdenle a satisfacer sus deseos sin tener que comer, como harían ustedes.

Nota: Deberán pedir ayuda profesional si su hijo come constantemente en exceso. Eviten también las dietas sin supervisión médica.

Cómo evitar el problema

Saber lo que ha de comer el niño
Antes de imponer ningún régimen alimenticio, observen cuál es la cantidad de comida necesaria para su hijo, así como el peso medio indicado para su edad y sexo (véase Ápéndice II, página 229).

Preparar comidas sanas

Si su hijo es demasiado tragón, manténganlo alejado de toda clase de alimentos con calorías, así como de la comida basura de cualquier tipo, de modo que no tenga la tentación de devorarlos.

Vigilar la dieta del niño

Dado que un niño de esa edad es demasiado pequeño como para decidir lo que puede y no puede comer, les corresponde a sus padres establecer los hábitos alimenticios correctos, y cuanto antes mejor. Deberán reemplazar los alimentos con alto contenido en grasas y azúcar por aquellos que tengan un alto contenido en proteínas, para ofrecer una dieta equilibrada de calorías y de nutrientes durante el día.

Enseñar al niño cuándo, cómo y dónde está permitido comer

Reduzcan a la cocina y al comedor el ámbito donde se puede comer. El ritmo de las comidas ha de ser más lento, insistiendo en que siempre se sirve la comida en un plato o en un tazón y no se toma directamente del refrigerador. Está demostrado que al comer lentamente, espaciando los bocados, enviamos el mensaje al cerebro de que nos sentimos llenos antes de haber comido más de lo que necesitamos (para que el procedimiento sea eficaz hacen falta al menos veinte minutos).

Cómo solucionar el problema

Qué hacer

Proponer otras actividades placenteras, diferentes de la comida

Investiguen qué es lo que le gusta hacer a su hijo aparte de comer y sugiéranlo cuando vean que ha comido lo suficiente como para satisfacer su apetito, mostrándole de ese modo que también existen otras cosas «deliciosas» además de la comida.

No perder la perspectiva de lo que son los alimentos

No ofrezcan alimentos como regalo o como premio, de modo que su hijo comprenda que la comida sirve únicamente para satisfacer el apetito.

Escalonar las comidas, para que el niño no llegue a estar nunca hambriento y se «lance» por la comida en cuanto la vea

Vigilar cuándo el niño come demasiado

Intenten descubrir la razón por la cual su hijo come en exceso, observando si se pone a comer cuando está aburrido, si ve que los demás engullen igual, si está furioso, triste, intenta llamar la atención o ha adquirido ese hábito. Intenten resolver esos sentimientos por otras vías, mediante el diálogo o el juego. Hablen del problema presente en la vida del niño de forma que no sea la comida la que resuelva el problema.

Autocontrol de los padres

Está totalmente comprobado que el padre es el modelo que siguen inmediatamente los niños sobre las pautas alimenticias. Si los padres toman el aperitivo y comen comida basura todo el día, sus hijos sentirán que ellos también pueden hacerlo.

Alabar la buena elección de los alimentos

Pueden moldear las preferencias sólo con el tono de voz y aconsejando los alimentos que quieren que se conviertan en sus favoritos. Cuando su hijo elige una naranja en lugar de un trozo de chocolate para tomar entre horas, pueden decirle: «¡Qué buena elección para tomar entre horas. Me encanta que te cuides, comiendo cosas apetitosas como naranjas!»

Animarlo a que haga deporte

Algunos niños con sobrepeso realmente no comen más que otros niños cuyo peso es normal. Lo que sucede es que no queman las calorías suficientes por falta de ejercicio. Es aconsejable que el niño realice diferentes ejercicios físicos. Por ejemplo en invierno, bailar o saltar la cuerda; en verano, nadar, andar, jugar al fútbol y columpiarse. Estos ejercicios no sólo son buenos para el desarrollo físico de su hijo, sino que también liberan las tensiones, le proporcionan aire puro y desarrollan la coordinación y la fuerza. Si ustedes participan de alguna manera en el ejercicio, le harán pensar que se trata de un juego en lugar de una obligación desagradable.

Comunicarse con el niño

Asegúrense de que no sólo elogian a su hijo cuando se come los chícharos. Alaben sus trabajos manuales, la ropa que haya elegido, lo bien que ha ordenado sus juguetes, así como el trabajo realizado al llevar su plato a la cocina, para que su hijo vea que le prestan atención a otras cosas aparte de la comida o del exceso de comida.

Qué no hacer

No dar al niño todo lo que quiera comer

Sólo porque su hijo quiera comer más no significa que lo necesite, pero no hagan que se sienta culpable por querer más. Explíquenle brevemente la razón por la cual no debería comer más, porque él es aún pequeño para saber la razón por sí mismo.

No darle premios relacionados
con comida para que se ponga contento

Su hijo puede crearse ideas equivocadas respecto a los alimentos si se los ofrecen constantemente para aliviar sus penas.

No permitan que coma nada cuando esté viendo la televisión
Dado que los anuncios publicitarios bombardean a su hijo con mensajes sobre comida, ayúdenle a que deje de pensar constantemente en comida, limitando el tiempo de televisión.

No darle comida basura como aperitivo
Lo que permitan como aperitivo o como comida es lo que el niño esperará recibir. Las preferencias sobre los alimentos no son innatas, suelen establecerse mediante el hábito.

No reírse del niño si tiene sobrepeso
Reírse del niño sólo incrementa el problema, añadiendo el sentimiento de culpa o de vergüenza.

¡No más galletas!

Audry Halon, de dos años y medio, estaba adquiriendo fama de ser un auténtico «pozo sin fondo ambulante», tanto en la guardería como en su casa. Si había algo de comida a la vista, Audry se lo comía. Jamás parecía saciarse.

«¡No!, no puedes otra galleta más, Audry», gritaba la señor Halon a su hijita cada vez que le sorprendía con la mano en la caja de galletas. «Ya has tomado bastantes galletas como para toda tu vida», añadía otro día.

Pero ni las explosiones de enfado ni la amenaza de castigarla sin triciclo disminuían el deseo de Audry de terminar con todas las galletas de la caja.

Una visita al pediatra le enseñó a la señora Hanlon el método para cambiar los hábitos alimenticios de Audry. Cuando al día siguiente de que el médico le hubiera dado un régimen y unos consejos, la niña pidió otra ración de papilla de cereales, la señora Hanlon tuvo por fin una respuesta que dar a su hija que no fuera un grito o un insulto: «Me alegro de que te guste la papilla Audry. Mañana por la mañana podrás tomar un poquito más. Ahora vamos a leer este nuevo libro», sugirió.

Al saber que la cantidad de papilla que le había dado era suficiente alimento para ella, a la señora Hanlon no le fue difícil mantener su postura cuando Audry se puso a gimotear pidiendo más cantidad de sus cereales favoritos. También le resultó más fácil planear los menús, al comprender que debía privar a su hija de aquellos alimentos que no eran más que caprichos, sin ser realmente necesarios para ella.

Como el mes siguiente los Hanlon seguían prohibiendo el exceso de galletas, Audry comenzó a interesarse por nuevos alimentos que le permitieran tomar sin reservas, que eran más llamativos y le llenaban más.

«¡Qué maravilla cómo te has tomado esa naranja en lugar de las galletas!», le dijo la señora Hanlon, comprendiendo que debía elogiar a la niña cuando eligiera algún alimento nutritivo.

Audry comenzó a dejar de escuchar comentarios sobre lo del pozo sin fondo, mientras que recibía toda suerte de muestras de cariño por comer fruta en lugar de chucherías, atenciones que le animaron a comer de manera nutritiva por primera vez. No sólo sus padres estaban encantados de compartir con la niña el deporte y los momentos agradables, sino que Audry parecía estar más contenta con sus amigos y profesores.

Siempre es ¡no!

La palabra «no» se cataloga como probablemente la más utilizada por los niños de uno a tres años porque es también la que más emplean los padres delante de los niños de esa edad.

Es una época en que los pequeños son célebres por entrar o salir, subirse o bajar por todas partes, haciendo que sus padres repitan continuamente: «¡No toques!, ¡no lo abras!, ¡no subas!» Para ver qué y a quién pueden controlar, los niños de dos a tres años lanzan un «¡no!» siempre que reciben una pregunta que requiera un sí o un no. Les aconsejamos limitar la ocasión de contestar «¡no!» (evitando las preguntas de sí o no) y que cuando respondan «no» a una pregunta, no se lo tomen siempre al pie de la letra.

Cómo evitar el problema

Investigar la personalidad de su hijo
Si los padres se familiarizan con los deseos y apetencias de su hijo, sabrán perfectamente si cuando dice «no», realmente significa que «sí» o es que realmente no quiere algo.

Pensar antes de decir «no»

Eviten decir a su hijo que no cuando realmente no les importa si hace algo o no.

Limitar las preguntas que requieran respuestas de «sí» o «no»

No planteen preguntas que se puedan contestar con un no. Pregunten por ejemplo cuánto jugo quiere, en lugar de si quiere tomar un zumo. Si quieren que entre en el coche, no le digan: «¿Quieres entrar en el coche?», sino «¡Vamos al coche!», y se meten en el coche.

Cambiar la respuesta de «no» por otra palabra

Por ejemplo, digan «alto» en lugar de «no» cuando su hijo haga algo que no desean que haga, como tocar las plantas.

**Hacer que su hijo cambie de conducta
enseñándole a hacer algo distinto**

Dado que normalmente quieren que su hijo deje de hacer algo cuando le dicen que no, enséñenle a hacer alguna otra cosa para sustituir lo que estaba haciendo. Durante un tiempo neutral, tomando al niño de la mano, pueden decirle: «¡Ven aquí, por favor!», mientras lo atraen a su lado. Abrácenlo y díganle: «Gracias por venir.» Practiquen varias veces al día, incrementando lentamente la distancia entre ambos cuando le dicen: «Ven aquí, por favor», hasta que sea capaz de cruzar la habitación entera.

Cómo solucionar el problema

Qué hacer

Ignorar el «no» del niño

Vean el lado positivo y asuman que realmente significa que «sí». Si es cierto que el niño no quiere el jugo que se le ha ofrecido, no lo tomará. Pronto notarán si es verdad o no cuando contesta que no.

Prestar más atención al «sí» que al «no»

Si observa que sonríen y le elogian al verle afirmar con la cabeza o decir que sí, su hijo aprenderá rápidamente a decirlo. Reaccionen de manera positiva ante la palabra afirmativa diciendo al niño por ejemplo: «¡Qué bien dices que sí!» o «Me ha gustado mucho ver que has contestado que sí a tu tía».

Enseñar a contestar «sí»

Los niños de tres años pueden aprender a decir «sí» a base de enseñarles metódicamente. Intenten el siguiente plan: Digan a su hijo que quieren escucharle decir «sí». Después, anímenle con frases como: «Es maravilloso oírte decir sí» o «Me encanta cómo dices sí». Y después: «Voy a preguntarte algo a lo que quiero que respondas 'sí' antes de que cuente hasta cinco». Si contesta que sí, demuéstrenle lo bien que lo ha hecho. Practiquen este método cinco veces al día durante cinco días y conseguirán obtener una actitud más positiva del niño.

Dejar que su hijo diga «no»

Aunque su hijo deba hacer lo que ustedes quieren o necesiten que haga, tiene derecho a decir que no. Cuando deseen que haga algo a lo que ha dicho que no, explíquenle la situación. Por ejemplo, pueden decirle: «Ya sé que no quieres ordenar los lápices pero cuando hayas hecho lo que te pido, podrás hacer lo que tú quieres». Con esto permiten que su hijo sepa que le dejan expresar sus sentimientos y que lo tienen en cuenta, pero que son ustedes los que mandan.

Qué no hacer

No reír ante el niño ni animarlo cuando diga que «no»
Si ríen o prestan demasiada atención al uso excesivo del «no» del niño, sólo conseguirán que lo utilice aún más para llamar la atención.

No enfadarse
Recuerden que la etapa del «no» resulta normal en el desarrollo del niño en edad preescolar y que pasará pronto. Si se enfadan sólo demostrarán que prestan excesiva atención al niño, que es lo que precisamente busca.

Nathan el negativo

La palabra favorita del pequeño de veinte meses, Nathan Shelb, era «no», justo la palabra que menos querían oír sus padres. Al ver que Nate utilizaba esa palabra para responder a cualquier pregunta que le hicieran, sus padres comenzaron a cuestionar sus facultades mentales.

«¿Puedes decir algo más que no sea 'no'?», le preguntaban, para obtener siempre la misma respuesta.

A los Shelb se les ocurrió entonces reducir el número de veces que ellos mismos utilizaban el «no» durante el día, para ver si provocaba algún efecto sobre el vocabulario de Nathan. En lugar de decir: «No, ahora no», siempre que Nate pedía una galleta, decían: «Sí, cuando hayas terminado de cenar, podrás tomar una galleta».

De esa manera seguían respondiendo realmente «no», pero conseguían que Nate no reaccionara negativamente, con lo cual sus padres cumplían su promesa y le daban su galleta en cuanto acababa de cenar.

A medida que sus padres fueron cambiando sus respuestas negativas por las positivas, Nate comenzó a emplear más la palabra «sí», palabra que era recibida con sonrisas, abrazos y elogios por parte de sus encantados padres.

«¡Gracias por responder 'sí' cuando te he preguntado si querías bañarte!», le decía su madre.

Estaban felices al ver que su hijo utilizaba cada vez con menos frecuencia el «no», en proporción directa con el aumento de alabanzas que se encontraba el niño cada vez que contestaba «sí».

Los Shelb se esforzaron también por limitar ante Nate el número de preguntas que requirieran un «sí» o un «no» por respuesta. En lugar de preguntarle si quería algo para beber durante la cena, le preguntaban: «¿Qué prefieres, jugo de manzana o leche, Nathan?»

Y Nathan elegía alegremente entre las dos opciones. Gracias a sus esfuerzos consiguieron controlar fácilmente el negativismo de su hijo y lograron un buen ambiente familiar.

Tienen sus rabietas

Millones de preescolares normales y adorables estallan en auténticas rabietas como muestra violenta y emocional de liberar su frustración o su rabia, intentando contar al mundo que ellos mandan. ¿El remedio? Se puede lograr evitar las rabietas, o que sucedan con menor frecuencia, al no proporcionarle ninguna audiencia al autor ni ceder ante sus deseos. Aunque sientan deseos de ceder o de esconderse bajo el mostrador más cercano cuando su hijo sufra una rabieta en público, sean pacientes hasta que termine y cuando se haya calmado elogien su capacidad para controlarla.

Nota: El llanto periódico y continuo no es una rabieta y ha de ser tratado de manera distinta. Obtengan ayuda profesional si su hijo tiene más de dos o tres rabietas al día.

Cómo evitar el problema

Enseñar al niño a dominar la frustración y la rabia

Muestren al niño cómo los adultos son capaces de encontrar otros modos de desahogo sin gritar ni llorar. Si se les quema la comida de la cazuela, por ejemplo, en lugar de arrojar la cacerola a la basura, pueden decir: «¡Menuda faena!, pero no importa, cariño. Vamos a pensar cómo podemos resolver este caos y qué podemos hacer para cenar.» Independientemente de la situación, enseñen a su hijo a solucionar sus problemas en lugar de que reaccione violentamente ante ellos.

Darle palmaditas en la espalda

Intenten sorprender a su hijo cuando es bueno. Por ejemplo, si les pide que le ayuden a hacer un rompecabezas complicado, elógienlo. Pueden decirle: «Cómo me alegro de que me hayas pedido ayuda, en lugar de enfadarte con el rompecabezas.» Si ayudan a su hijo a superar su frustración y su enfado con tranquilidad, le ayudarán a sentirse bien consigo mismo. Si sabe que es elogiado por ello, verán que repite la técnica de resolver los problemas con tranquilidad. Déjenle bien claro que comprenden su frustración, diciéndole por ejemplo: «Sé perfectamente cómo te sientes cuando no te salen bien las cosas y estoy realmente orgulloso de que seas capaz de superarlo.»

No permitir que el tiempo de juego signifique jugar solo

Si el niño piensa que portarse bien significa que sus padres no estén con él, su hijo se portará mal con mayor frecuencia, sólo para que sus padres acudan a su lado.

No esperar una invitación

Si advierten alguna amenaza de rabieta mientras su hijo juega o come, por ejemplo, no esperen a que se produzca. Si ven que él no puede controlar la situación, ayúdenle diciendo:

«Te juego lo que quieras a que esta pieza se coloca aquí» o «¡Hagámoslo de este modo!» Muéstrenle cómo jugar o comer y déjenle después finalizar el trabajo, de modo que se quede satisfecho por su capacidad de permitir la ayuda de los demás.

Cómo solucionar el problema

Qué hacer

Ignorar la rabieta del niño

No hagan absolutamente ningún caso al niño durante la rabieta. Enséñenle que una rabieta no sirve jamás para llamar la atención, ni para obtener sus deseos. Pero, ¿cómo se puede ignorar a un tornado que penetra en la habitación? Bien, márchense durante la rabieta, vuelvan la espalda al niño, llévenlo a su habitación o enciérrense en la suya. Si piensan que puede ser peligroso o destructivo consigo mismo o con los demás, enciérrenlo en el coche o en algún otro lugar aislado. Durante su confinamiento, no le hagan el menor caso. Sabemos que es difícil ignorarlo, pero intenten ocupar su tiempo con algo en otra habitación de la casa o con cualquier otra actividad.

Intentar mantenerse firmes

Por mucha fuerza que el niño emplee para golpear o gritar, no duden en mantenerse firmes, dominando la situación. Díganse a sí mismos que es muy importante para su hijo aprender que no puede tenerlo todo cuando él quiera. Su hijo está aprendiendo a ser realista y ustedes están aprendiendo a ser constantes y a marcar los límites de lo que es un comportamiento aceptable y otro inaceptable.

Permanecer de lo más tranquilos

Díganse a sí mismos: «No es demasiado difícil. Puedo controlar a mi hijo mientras le enseño a controlarse. Está tratando de sacarme de quicio, con lo cual no puede obtener lo que quiere.» Mantener la calma mientras ignoran a su hijo es el mejor método para que aprenda cuando está fuera de sí, de modo que... ¡paciencia!

Alabar a su hijo

Una vez que vaya desapareciendo la rabieta, alaben a su hijo por conseguir autocontrolarse y compartan con él algún juego o actividad que no resulte problemático para nadie. Pueden decirle: «Me alegro de que te encuentres mejor. Te quiero, pero no me gusta que llores o que grites.» Como es la única referencia a la rabieta, le ayudará a saber que lo que ustedes han ignorado es la rabieta, no a él.

Explicar los cambios de normas

Si están en una juguetería y el niño pide un coche que anteriormente le habían negado, pueden cambiar de opinión, pero cambien también el mensaje. Pueden decir, por ejemplo: «¿Recuerdas cuando estuvimos aquí la última vez y agarraste una rabieta? Si permaneces tranquilamente a mi lado, he decidido que podrás tener el coche.» Con ello ayudarán a su hijo a comprender que no cambiaron de opinión a causa de la rabieta, sino que están comprando el coche por otra razón. Si quieren, pueden contarle las razones por las cuales han cambiado de opinión, especialmente si incluyen alabanzas por buen comportamiento.

Qué no hacer

No razonar ni explicar

Intentar razonar o hablar con el niño durante una de sus rabietas es perder el tiempo. No presta ninguna atención, se encuentra en mitad del espectáculo y ¡él es la estrella! Cualquier discusión en esos momentos sólo aumenta la rabieta porque le proporciona la audiencia que el niño desea.

No agarrar una rabieta

Díganse a sí mismos: «¿Por qué tengo que portarme yo como si estuviera loco? Sé que cuando digo no, lo digo por alguna razón.» Si pierden la serenidad sólo conseguirán que el niño se anime a continuar con el numerito.

No despreciar a su hijo

Porque su hijo haya tenido una rabieta no quiere decir que sea mala persona. No le digan: «¡Niño malo! ¿No te da vergüenza?» El niño perderá el respeto hacia sí mismo y sentirá que no merece lo que deseaba de ningún modo.

No recordar tiempos pasados

No recuerden a su hijo las rabietas anteriores. Con ello sólo le prestan mayor atención a tal comportamiento e incrementan las oportunidades de que se repitan las rabietas, para convertirse en el centro de atención.

No hacerle pagar al niño la rabieta

Si no hacen nada con el niño cuando haya terminado la rabieta, sólo conseguirán que tenga nuevas rabietas para llamar la atención. No le hagan sentirse poco querido a causa de su mal comportamiento.

Época de rabietas

Donald y Mary MacLean estaban preocupados a causa de su hija Amy, de dos años, que agarraba una gran rabieta cada vez que le negaban una galleta antes de cenar. Cuando sus padres contestaban «no», se ponía a gritar diciendo «sí» sin parar, agarrándose al pantalón de su padre y tirándose por el suelo de la cocina, hasta que sus padres, totalmente agotados, cedían y le daban la galleta.

Los MacLean se preguntaban con gran desesperación qué era lo que habían hecho mal. ¿Acaso estaban haciendo algo mal cuando contestaban a Amy negativamente? Y cada vez se hacían más frecuentes las rabietas, en cuanto sus padres le negaban algo. También se daban cuenta de que, al ceder ante el deseo irrefrenable de Amy por tomar una galleta antes de la cena, estaban empeorando la mala educación.

La vez siguiente que Amy sufrió una rabieta, probaron una nueva estrategia. Mientras la niña estaba en plena efervescencia, en lugar de decir a la niña que no, Mary le dijo tranquilamente: «Amy, ya sé que quieres una galleta, pero no te la daremos hasta que te tranquilices y termines de cenar.»

Amy no dejó de gritar, pero sus padres se levantaron tranquilamente y se alejaron de la niña, dejándola sin audiencia para la gran actuación. Aunque les supuso un gran esfuerzo ignorar totalmente la rabieta de su pequeña, los MacLean no entraron en la cocina hasta que la niña se quedó totalmente tranquila. Amy, al no obtener ningún tipo de atención, ni verbal ni física, dejó de gritar, esperando a ver si sus padres cumplían lo que habían prometido.

En cuanto dejó de llorar apareció su padre, con una gran sonrisa, diciendo: «Amy, ya sé que quieres una galleta ahora, pero en cuanto hayas terminado de cenar y vayamos a empezar a tomar el postre, podrás tener tu galleta. Estoy muy contento de que ya no estés gritando ni llorando. Me encanta ver cómo consigues dominarte.»

Amy se puso a cenar tranquilamente y sus padres le trajeron la galleta, como habían prometido.

Los MacLean se alegraron de ver que eran capaces de dominar el impulso de ceder ante la rabieta de la niña y de evitar que Amy tuviera ninguna audiencia. A pesar de que de vez en cuando seguía asaltándoles la tentación de ceder ante las rabietas, consiguieron seguir con la táctica de alejarse de su hija cuando estaba en plena rabieta, al tiempo que la llenaban de alabanzas cuando admitía tranquilamente que le negaran algo. Las rabietas comenzaron a ser menos frecuentes, hasta el punto de que Amy lloraba sólo de vez en cuando si la contradecían, pero no volvió a montar las escenas sin sentido que solía montar en el pasado.

Son llorones

Igual que los adultos se encuentran de vez en cuando de mal humor sin razón alguna, casi todos los pequeños adultos lloran y gimotean algunas veces sin razón aparente. Si están seguros de que el niño tiene todo lo que necesita (está seco, bien alimentado, etc.), está claro que lo que el niño quiere al actuar de ese modo es llamar la atención. Por muy duro que sea, si ignoran las quejas, se acaban los mimos. De ese modo su hijo aprenderá enseguida una norma familiar importante: más vale pedir bien las cosas que lloriquear o gimotear sin sentido.

Cómo evitar el problema

Destacar los momentos en que el niño es bueno
Elogien el buen comportamiento y los logros del niño al hacer las cosas bien para evitar que su hijo se exprese con base en lloriqueos sobre cómo «nada de lo que hace está bien».

Hacer que el niño tenga todo lo que necesita
Asegúrense de que el niño come, se baña, se viste, duerme y goza de innumerables muestras de cariño normalmente, para evitar que se vuelva llorón porque no esté cómodo o que le pueda desbordar una

situación hasta el punto de que demuestre sus sentimientos mediante gimoteos.

Cómo solucionar el problema

Qué hacer

Enseñar al niño lo que significa lloriquear

Asegúrense de que su hijo sabe exactamente lo que significa para ustedes «lloriquear» cuando le piden que no se comporte de tal modo. Enséñenle cómo ha de pedir las cosas, mostrándole cómo decirlo sin lloriqueos. Pueden decirle, por ejemplo: «No te daré el jugo de manzana hasta que no lo pidas bien. Así has de pedir el jugo: Mamá (o papá), ¿puedo tomar un poco de jugo?» Si su hijo aún no es capaz de hablar, enséñenle cómo puede señalar algo o llevarles a ustedes ante algo con gestos, sin palabras. Dejen que practique pidiendo cosas al menos cinco veces, dándole luego lo que ha pedido para demostrarle que el método sirve.

Inventar un sitio para dar rienda suelta a sus lloriqueos o mimos

Si su hijo sigue con los mismos lloriqueos una vez que le hayan explicado cómo ha de expresar sus deseos normalmente, permitan que el niño sepa que tiene derecho a sentir frustraciones o emociones que sólo hallan consuelo mediante el llanto. Díganle que puede llorar todo lo que quiera, pero que habrá de hacerlo en el «rincón del llanto», un sitio que habrán designado ustedes previamente, sólo para que el niño llore. Háganle saber que prefieren no estar cerca de alguien que no sabe expresarse sin lloriqueos y que cuando acabe de llorar, puede volver con sus padres. Por ejemplo, pueden decirle: «Siento que estés tan llorón. Ve al rincón del llanto y cuando te encuentres mejor, vuelve con papá y mamá.»

Ignorar los lloriqueos de su hijo

Como el lloriqueo del niño es bastante angustioso, es normal que le presten más atención cuando se queja que cuando está tranquilo, aunque esa atención no es realmente cariño. Pónganse unos auriculares si los lloriqueos aumentan de volumen al poner al niño en el «rincón del llanto», con el fin de darle luz verde para que desahogue su frustración y su enfado mediante ese sistema.

Destacar los momentos en que el niño no se queja

Para mostrar a su hijo el enorme contraste entre su reacción cuando pide bien las cosas o cuando gimotea sin cesar, alaben inmediatamente cuando lo hace bien diciéndole: «Como has sido tan bueno, ¡vamos a por un juguete!» o «Hace mucho que no te oigo llorar» o «Gracias por no lloriquear.»

Qué no hacer

No ceder ante el niño que lloriquea

Si le prestan atención a su hijo cuando se expresa con mimos, hablando con él o cediendo ante sus deseos, le están enseñando que ésa es la manera de obtener lo que desea.

No expresarse los mayores mediante quejas

Las quejas de los adultos le pueden parecer lloriqueos al niño. Si ustedes se expresan de tal modo, el niño pensará que tal comportamiento es el que él debe imitar. Si ustedes se encuentran de mal humor, no se enfaden con el niño porque estén ustedes enfadados con el mundo entero. Hagan saber sencillamente a su hijo que no se encuentran de buen humor, pero sin quejas ni pucheros.

No enfadarse con el niño

Precisamente porque su hijo no tiene buen día, no se enfaden con él. El niño no sólo confundirá la explosión de sus padres con una muestra de atención, sino que al conseguir alterarles sentirá que ejerce cierto poder sobre ustedes. Puede que continúe haciéndolo simplemente para mostrarles quién manda.

No castigar al niño por los mimos

La vieja expresión: «Voy a darte una razón para que llores de verdad», únicamente creará un conflicto entre el niño y ustedes, haciendo creer al niño que no está bien llorar nunca y que se sienta culpable por sentirse afligido. Permitan que su hijo llore algunas veces, porque puede que sea la única forma que tenga su hijo de expresar su frustración, especialmente si aún no habla.

Tener presente que esta época no dura siempre

Su hijo puede tener un mal día o estar pasando una época en que nada parece agradarle, por lo cual se pasará el día quejándose de la vida en general, hasta que se encuentre de nuevo en sintonía con el mundo. Díganse a sí mismos: «Todo esto pasará», mientras intentan hacerle la vida al niño lo menos desagradable posible, alabando cualquier buen comportamiento.

La silla del llanto

Desde el instante mismo en que Marsha Brenner, de tres años, se despertaba por la mañana, hasta que cerraba los ojos por la noche, la niña era un continuo torbellino de lloriqueos:

«¡Maaami! ¡Quiero comer!», «¡Maaami! ¿Qué hay en la tele?», «¡Maaami! ¿Adónde vamos?», «¡Maaami! ¡Brazos! ¡Quiero en brazos!»

La señora Brenner trataba de ignorar los mimos de su hijita y le daba todo lo que pedía para que se estuviera tranquila, pero comenzaba a sacarle de quicio tanto lloriqueo, hasta que un día explotó: «¡Marsha! ¡Deja ya esos estúpidos mimos! ¡Es insoportable!»

Como sus propias quejas sólo servían para aumentar los gimoteos de Marsha, la señora Brenner decidió emplear otro método para acabar con las mañas de su hija. Decidió probar una nueva versión del tiempo muerto, técnica que utilizaba cuando su hija se portaba mal.

«Esta silla es sólo para llorar», le contó a su hija al día siguiente, cuando la niña comenzó con su costumbre de quejarse sin cesar. «Siento que te quejes así. Cuando dejes de lloriquear, puedes levantarte de la silla y jugaremos con las muñecas», añadió la madre, sentando a la niña en la silla que había destinado a tal propósito. Y se marchó de la habitación, sin acercarse de nuevo para demostrar a la niña que nadie le hacía caso.

Cuando la señora Brenner dejó de oír quejido alguno procedente de la habitación donde se encontraba la silla, se acercó a la niña y la abrazó, alabándola por haberse callado: «¡Oh! ¡Qué contenta estoy de que ya no llores! Vamos a jugar con las muñecas.»

Cuando la señora Brenner observó que su hija se pasaba cerca de diez veces al día en la silla de los lloros, se animó a dar el siguiente paso para enseñar a Marsha a dejar de tener que ir todo el día a la silla. «Te daré algo de beber cuando me lo pidas sin llorar», le explicó aquel día, mientras enseñaba a Marsha a decir: «Mamá, por favor, ¿puedo tomar algo de beber?»

La niña practicaba cada vez que quería algo para beber o para comer, o cuando quería algún juguete que había pedido antes lloriqueando y le había sido denegado.

Aunque los mimos de Marsha no desaparecieron por completo (su madre comprendía que la niña tenía que tener algún día «malo»), la relación entre madre e hija mejoró enormemente.

Son descarados

Cuando de la boca de esos angélicos preescolares salen continuamente impertinencias, sarcasmos, palabrotas y observaciones desagradables, a los padres se les abren repentinamente sus ojos sobre la capacidad de su hijo para representar palabras (buenas y malas) y controlar su mundo con ellas. Las impertinencias sólo se aprenden (como todo el lenguaje) al oírlas con frecuencia, de manera que eviten que su hijo tenga la oportunidad de escuchar palabras desagradables. Controlen la televisión, a los amigos y su propio lenguaje para eliminar las impertinencias de su vocabulario.

Cómo evitar el problema

Hablar al niño de la misma forma que quieran que el niño hable
Enseñen al niño a utilizar el lenguaje que ustedes quieren oír. Enséñenle a decir «gracias», «por favor» y «lo siento». Enséñenle también que a veces se considera una impertinencia la manera en que se dice una determinada palabra, no la palabra en sí.

Definir qué es una impertinencia
Para poder reaccionar racionalmente ante el comportamiento verbal cada vez más variado de su hijo, necesitarán reflexionar sobre cuán-

do su hijo está diciendo una impertinencia y cuándo está sencillamente expresándose. Podría hacerse la siguiente distinción: todo tipo
de sarcasmos, insultos, contestaciones a gritos y negativas descaradas
se consideran impertinencias, mientras que las negativas del estilo
de: «No quiero» son lloriqueos y las preguntas como: «¿Tengo que
hacerlo?» son manifestaciones de opinión.

Vigilar a los amigos, la televisión y el lenguaje personal
Presten atención a las palabras que salen de sus labios y de los de sus
amigos, hermanos, familia o televisión, para evitar que el niño pueda
escuchar impertinencias.

Cómo solucionar el problema

Qué hacer

Agotar la palabra
Hagan que su hijo se canse de emplear la palabra que para ustedes
significa una impertinencia y, así, en medio de la batalla, dejará de pro-
nunciarla. Hagan que repita la palabra un minuto por cada año de
edad, para lograr que la palabra pierda su poder. Díganle: «Lo siento
pero has dicho esa palabra. Programo el reloj. Tienes que repetir esa palabra hasta que suene el reloj. Cuando suene, puedes dejar de decirla.»

Ignorar la impertinencia
Intenten prestar la menor atención posible a la palabra que haya dicho su hijo. Al pretender que no han oído nada, evitan que el niño
piense que ejerce algún poder sobre sus padres y no le resulta gracio-
so soltar de nuevo la impertinencia, ya que no encuentra ninguna
diversión en jugar solo.

Alabar las expresiones acertadas

Permitan que su hijo comprenda el tipo de lenguaje que ustedes prefieren que emplee, destacando su actitud cuando no dice impertinencias. Pueden decirle: «Me gusta cuando no me contestas gritando. Eres un cielo.» Muéstrenle cómo una misma frase puede sonar impertinente o no. Digan con voz enfadada «No me importa» y repitan luego la frase con voz agradable, para marcar la diferencia.

Qué no hacer

No jugar a sorprenderle

Dado que saben que el niño intenta ejercer algún poder sobre ustedes con base en impertinencias, no le sigan el juego. Puede que el niño encuentre divertido conseguir que sus padres pierdan la paciencia o le presten atención por soltar impertinencias que ustedes no quieren fomentar.

No enseñarle impertinencias

Si le contestan al niño con una impertinencia, únicamente le están enseñando a decir impertinencias. Aunque es difícil no contestar a gritos cuando te gritan, intenten enseñar a su hijo a hablar con respetándole hablarlo con respeto. Sean educados con su hijo, como si se tratara de un invitado.

No emplear castigos severos por las impertinencias

Guarden los castigos severos para las cosas importantes, como el comportamiento violento que puede hacer que el niño se dañe o que dañe a los demás. La impertinencia es, como otras cosas, molesta. No existen evidencias de que un niño se vuelva más respetuoso si lo castigan por las faltas de respeto. Con el castigo sólo enseñan al niño a tener miedo, no a respetar.

Las impertinencias de Pat

Cada vez que la señora Loren pedía a su hijo de cuatro años, Pat, que hiciera algo como ordenar sus juguetes o guardar la crema de cacao en el armario, Pat gritaba: «¡No me da la gana! ¡No pienso hacerlo!»

Pat se volvió tan experto en soltar impertinencias verbales que a cualquier pregunta que le hicieran, respondía con alguna grosería, como si hubiera olvidado por completo sus buenos modales.

«¡Ningún hijo mío puede hablar de esa manera!», le gritó ásperamente su padre, aumentando aún más el escándalo familiar con esa muestra de malos modales.

Cuando los Loren se dieron cuenta de que al ser sarcásticos y gritar a su hijo le estaban enseñando a comportarse de igual modo, intentaron seriamente reaccionar con tranquilidad ante las impertinencias y elogiar cualquier respuesta agradable por parte del niño.

«¡Qué bien has contestado!», le dijeron la primera vez que oyeron decir al niño: «¡bueno!», cuando le pidieron que ordenara los juguetes en el cajón.

No les resultó difícil comenzar a controlar su enfado, porque notaron que Pat gritaba cada vez menos y cuando escuchaban alguna palabra fuera de tono, simulaban no haber oído nada.

Pero cuando vieron que Pat seguía diciendo «idiota» una y otra vez, en un intento desesperado de llamar la atención, sus padres decidieron que Pat se cansara definitivamente de aquella palabra.

«Repite "idiota" sin parar durante cuatro minutos», le ordenaron.

El niño estuvo repitiendo "idiota" lo más rápido que podía durante dos minutos, hasta que ya no pudo más y, para delicia de sus padres, aquella fue la última vez que empleó tal palabra.

Los insultos

Estos filólogos preescolares en pleno desarrollo suelen experimentar con insultos a los demás para hacer que el resto del mundo sepa que ellos mandan y que pueden hablar así. Como ustedes saben perfectamente que el niño está soltando la palabra para ver la reacción que provoca, enseñen a su hijo que los insultos jamás producen el daño que ellos piensan. Reaccionen con calma ante ellos para desinflar las esperanzas de su hijo de provocar la reacción que él espera. Ayuden a su hijo a practicar lo que ustedes predican, cuando sea él víctima de insultos. Así, él mismo verá que el juego verbal pierde toda su diversión cuando se juega solo.

Cómo evitar el problema

Restringir los apodos cariñosos
Eviten llamar a su hijo con algún apodo que no desean que él emplee con los demás. Existe una gran diferencia entre llamar a alguien «diablillo» o llamarle «muñequito».

Enseñar a reaccionar ante los insultos
Sugieran a su hijo otras formas de reaccionar si es víctima de algún insulto. Pueden decirle: «Cuando tu amigo te insulte, contéstale que no jugarás con él mientras siga llamándote así».

Decidir lo que es un insulto y lo que no lo es

Asegúrense de que han educado a su hijo respecto a las palabras que se pueden usar, antes de esperar que sepa diferencias entre palabras «legales» e «ilegales».

Cómo solucionar el problema

Qué hacer

Aplicar el sistema de tiempo muerto

Retiren al niño durante un tiempo determinado del lugar donde se encuentra, para mostrarle que cuando dice algo que no puede decir, pierde la ocasión de jugar. Pueden decirle: «Siento que hayas dicho eso, ¡tiempo muerto!» (véase página 27 para más información sobre el tiempo muerto).

Agotar el insulto

Si repiten excesivamente el insulto, pierde toda la emoción. Coloquen al niño en una silla y hagan que repita sin parar la palabra (un minuto por cada año del niño).

Si se niega a hacerlo (como hacen millones de niños de esa edad), sencillamente hagan que permanezca en el sitio hasta que comience, no importa el tiempo que tarde.

Elogiar cuando habla bien

Elogien a su hijo cuando no insulte para mostrarle el lenguaje que debe usar y el que no ha de emplear.

Mantenerse firme en sus reacciones

Cada vez que su hijo insulte, reaccionen de la misma manera para enseñarle que insultar no es ningún juego. Pueden decirle: «Siento que hayas dicho eso. Ahora te toca estar un rato aislado» o «Te toca repetir la palabra hasta agotarla», por ejemplo.

Qué no hacer

No enseñarle a insultar

Como resulta realmente irritante recibir insultos, es fácil que salga de nuestra boca un insulto en respuesta al suyo, como puede ser: «¡Imbécil! Podrías hacer algo mejor que insultar.» Con ello dan pie a que su hijo emplee las mismas palabras que ustedes. Encaucen su rabia hacia la explicación de por qué y hasta qué punto se sienten alterados, con el fin de enseñar a su hijo las palabras que a ustedes les gusta escuchar y las que no, así como la forma en que les gustaría que reaccionara cuando lo insulten a él.

No castigar severamente por insultar

Si lo castigan por insultar, sólo conseguirán que el niño emplee los insultos cuando ustedes no estén presentes. Al emplear un castigo severo por tener un mal comportamiento, lo que suele suceder es que el niño aprende a evitar ser descubierto. Los castigos por mal comportamiento no funcionan, sólo hacen que se tenga el mal comportamiento a sus espaldas.

¡Eso no se dice!

Max y Helen Glass se quedaron de piedra la primera vez que oyeron a su preciosa hijita, de cuatro años y medio, llamar a sus amigos: «imbéciles», «idiotas» y, lo peor de todo, «¡tonto del c...!». Jamás habían empleado ese tipo de palabras en casa, de modo que no podían comprender de dónde las había sacado Sarah y tampoco sabían la forma de actuar para solucionar el problema.

«No insultes a la gente, Sarah. ¡Eso no se hace!», le decían a su hija cada vez que empleaba alguna palabra ofensiva, pero no servía de nada. De hecho, Sarah comenzó a insultar también a sus padres, con lo cual se ganaba sus buenos azotes sin por ello dejar de emplear su vocabulario.

Al final, la señora Glass probó una nueva estrategia: comenzó a observar con más atención a la niña mientras jugaba durante el día y a fijarse en los momentos en que jugaba bien y en los que no.

«¡Qué bien juegan las dos!», señaló mientras Sarah y su prima María vestían a las muñecas.

Pero en el momento en que María intentó dar un paseo a la muñeca de Sarah en el cochecito azul, ésta le gritó: «¡Imbécil! ¡Ése es mi coche!»

La señora Glass informó de inmediato a las niñas, con toda tranquilidad, que había llegado el momento de separarse.

«Lo siento. Has llamado 'imbécil' a tu prima. ¡Tiempo muerto!», dijo a su hija.

Después de cuatro minutos (un minuto por cada año del niño) en la silla del tiempo muerto, Sarah aprendió enseguida que su madre cumplía lo que decía, es decir, que si profería algún insulto, la hora de jugar terminaría y sería recluida. Sarah aprendió que era mejor obtener la aprobación de sus padres y amigos, con lo cual dejó de insultar con tanta frecuencia.

Siempre interrumpen

Dado que para los preescolares la propiedad más importante es acaparar la atención de sus padres, intentarán todo tipo de artimañas para interrumpirlos cuando estén en el teléfono, con otra persona o cuando llamen a la puerta. Limiten los trucos que intente su hijo para obtener toda su atención, proponiéndole juguetes especiales reservados para esos momentos en que ustedes están charlando con la competencia. Con ello lograrán mantener ocupado al niño sin ustedes, a la vez que ustedes lo están sin él.

Cómo evitar el problema

Limitar la duración de las conversaciones
Sabiendo que la capacidad de su hijo por demorar la gratificación es limitada, sean padres prudentes y no se extiendan demasiado en el teléfono cuando su hijo está cerca, desocupado y esperando su atención.

Practicar el juego del teléfono
Enseñen a su hijo lo que significa no interrumpir. Practiquen ese comportamiento con dos teléfonos de juguete, uno para él y otro para ustedes. Díganle: «Así hablo yo por teléfono y así juegas tú mientras

yo estoy en el teléfono.» Dejen después que sea su hijo quien hable por teléfono y ustedes los espectadores. Con ello definen lo que significa interrumpir, al tiempo que le muestran el comportamiento que ha de tener.

Establecer unas normas de juego durante el tiempo del teléfono
Reúnan en un cajón cerca del teléfono juguetes especiales (permitan que los niños de más de dos años elijan lo que quieren). Mientras están en el teléfono, insistan en que el niño juegue con esos juguetes, mientras le muestran su aprobación mediante gestos y sonrisas, mostrando al niño lo bien que está jugando. Las pinturas para pintar con los dedos, acuarelas, plastilina, crema de afeitar y rotuladores mágicos, por ejemplo, son juguetes que necesitan la supervisión de los adultos, de modo que deberán utilizarse sólo cuando alguien esté presente. Antes de que seleccionen ustedes los juguetes para el cajón, piensen en la capacidad del niño para jugar con ellos sin la supervisión de los padres, para evitar interrupciones provocadas por la necesidad de controlar dichos juguetes.

Cómo solucionar el problema

Qué hacer

Elogiar al niño cuando juega sin interrumpir
Si su hijo recibe una atención especial (una sonrisa, un elogio, etc.) cuando es bueno y no interrumpe, no sentirá la necesidad de meterse en su conversación para aportar su granito de arena. Pidan excusas a la persona con quien estén hablando y digan a su hijo: «Gracias por jugar tan bien con tu muñeca. ¡Qué orgulloso estoy de ver cómo te diviertes tú solito!»

Implicar al niño en sus actividades

Intenten incluir al niño en la conversación cuando los visite algún amigo, por ejemplo, para evitar la ocasión de que el niño interrumpa con el fin de hacerse notar.

Qué no hacer

No enfadarse ni gritar al niño por interrumpir

No animen al niño a interrumpir, mostrándole cómo se hace.

No interrumpir a su hijo ni a los demás

Aunque su hijo sea un auténtico parlanchín, muéstrenle que ustedes practican lo que dicen, evitando interrumpirlo cuando él está hablando.

Aplicar la norma de la abuela

Hagan saber a su hijo que pronto estarán de nuevo con él y que puede ganarse su atención distrayéndose solo mientras espera a que ustedes le hagan caso. Utilicen el reloj para limitar la conversación. Cuando el reloj suene, permitan que su hijo se introduzca en la conversación. Pueden decirle: «Cuando hayas jugado durante dos minutos con tus juguetes y suene el reloj, dejaré de hablar por teléfono y jugaremos juntos.»

Aplicar la reprimenda y el tiempo muerto

Empleen una reprimenda como: «Basta de interrupciones. No puedo hablar por teléfono si me interrumpes continuamente. En lugar de interrumpir, por favor, juega con los coches.» Si su hijo sigue interrumpiendo, empleen el tiempo muerto para apartarlo de la posibilidad de llamar la atención con sus interrupciones. Díganle entonces: «Siento que hayas seguido interrumpiendo. Tiempo muerto» (véase página 27 para más información sobre el tiempo muerto).

¡Ahora no Joanie!

Cada vez que sonaba el teléfono, la pequeña de tres años, Joanie Wilkens, interrumpía la conversación de su madre con todo tipo de peticiones del estilo de: un jugo de manzana, un juguete que se hallaba en «alto» o incluso alguna pregunta como: «¿Adónde vamos a ir hoy?» A pesar de que la señora Wilkens quería contestar a la niña, a cada interrupción intentaba explicarle: «Cielo, mami está hablando por teléfono. Por favor, no me interrumpas.»

Pero Joanie interrumpía una y otra vez, hasta que un día la señora Wilkens le gritó: «¡No me interrumpas! ¡Eres una niña muy mala!», al tiempo que le daba un azote a la niña en todo el trasero para que se callara. No sólo no consiguió con ello que la niña se callara sino que comenzó a llorar tan fuerte que la madre hubo de interrumpir la conversación telefónica.

Cuanto más chillaba su madre, más interrumpía la niña, provocando una relación causa y efecto que finalmente comprendió la señora Wilkens, decidiendo entonces invertir la situación: a partir de ahora prestaría mayor atención a su hija cuando no interrumpiera la conversación, en lugar de hacerlo cuando interrumpiera.

A la mañana siguiente, cuando llamó su amiga Sally para charlar un rato, como todos los lunes, la señora Wilkens le dijo que en ese momento no podía hablar porque estaba jugando con su hija, norma que intentó llevar a cabo para reducir las oportunidades de que la niña interrumpiera las conversaciones telefónicas.

Mientras explicaba la nueva política a su amiga, observó que su hija estaba jugando sola con el rompecabezas.

«¡Gracias por no interrumpirme!», alabó la madre, al tiempo que le daba un enorme abrazo.

Joanie comenzó a jugar con los juguetes que su madre había recopilado alrededor del teléfono. Los juguetes le resultaban especialmente atractivos, porque habían acordado llamarlos «juguetes del teléfono» y sólo podía jugar con ellos cuando su madre estaba hablando por teléfono.

Cuando colgó el teléfono, la señora Wilkens dijo de nuevo a su hija: «¡Gracias por no interrumpirme mientras le contaba a Sally nuestra cena de ayer!», le explicó. «Quería saber la receta de la carne», siguió diciendo. «Vamos a guardar aquí estos marcadores para ti, si quieres, mientras yo hablo por teléfono.»

Cuando sonó otra vez el teléfono, por la cara de ambas cruzó una sonrisa ilusionada, en sustitución del antiguo ceño fruncido.

«Joanie, está sonando el teléfono. Ve a jugar con los juguetes del teléfono», le sugirió la señora Wilkens.

Joanie corrió a buscar los marcadores y, escuchando algún que otro «¡buena chica!», la niña se mantuvo ocupada mientras su madre la observaba al tiempo que hablaba por teléfono.

Muestran un comportamiento agresivo

Como un toro en un corral, muchos pequeños terremotos de seis años arrojan los juguetes o se lanzan ellos mismos contra el primer blanco que encuentran para expresar su frustración, su enfado o incluso sólo por diversión. ¿La razón? Porque recapacitar o comprometerse no es una de sus técnicas de resolución de problemas y arrojar libros o juguetes no parece peor que pegar balonazos. Habrán de conseguir domesticar a su hijo educándole para que se entienda correctamente con los demás. Aunque el niño tenga un año, muéstrenle brevemente y explíquenle lo que se puede hacer a los demás y lo que no, así como el modo en que ha de cuidar los juguetes (*ilegal*: pegar, morder, empujar, burlarse; *legal*: besar, abrazar, hablar) y la razón por la cual estas acciones son buenas o malas. Cumplan estrictamente estas normas, con constancia, para guiar a su hijo hacia un comportamiento adecuado, evitando que se destruya o que destruya a los demás.

Nota: Si el comportamiento agresivo de su hijo es una característica habitual en la relación diaria con sus juguetes y resulta perjudicial para los amigos, la familia y para ustedes mismos, soliciten ayuda profesional para conseguir averiguar lo que se esconde detrás de los juegos destructivos y agresivos de su hijo.

Cómo evitar el problema

Vigilar de cerca al niño cuando juega

Para evitar que el niño aprenda de sus compañeros un comportamiento agresivo, vigilen cómo tratan los amigos sus juguetes. No permitan que muestren su agresividad causando algún perjuicio o daño. No duden en corregir el mal comportamiento de cualquier compañero de su hijo igual que si se tratara de su propio hijo.

No enseñar comportamientos agresivos

Cuiden de sus cosas del mismo modo que desean que el niño cuide de las suyas. Por ejemplo, si se dedican a tirar algo cuando están enfadados, están mostrando al niño cómo responder de manera agresiva cuando se enfade.

Explicar lo que pasa cuando alguien muerde o pega a otro niño

En un tiempo neutral, expliquen al niño cómo se siente la persona a la cual ha mordido o pegado, para enseñar a su hijo lo desagradable que puede resultar para ambas partes ese comportamiento agresivo.

Cómo solucionar el problema

Qué hacer

Proponer al niño otras alternativas en lugar de pegar

Antes de que comience el comportamiento agresivo, propongan al niño una serie de cosas que podrá hacer en lugar de pegar, cada vez que se enfade.

Por ejemplo, enséñenle que puede pedir ayuda o decir: «Ya no quiero jugar más» o que sencillamente puede abandonar el grupo durante un minuto. Practiquen con el niño este tipo de cosas cinco veces, con el fin de que se familiarice con las palabras y sea capaz de emplearlas.

Elogiar el buen comportamiento

Subrayen claramente lo que es portarse bien y lo que no, explicándole lo mucho que les gusta que comparta las cosas, que espere el turno o que pida ayuda. Digan sencillamente: «¡Qué bien compartes las cosas con tus amigos, cielo!», especificando en todo momento por qué lo alaban. Cuantos más halagos reciba, mejor será su comportamiento individual o en grupo.

Emplear reprimendas

Pueden amonestar a su hijo para ayudarle a entender que existe una razón para que deje de tener un cierto comportamiento y que respetan su capacidad de comprender por qué lo han recriminado. La reprimenda consta de tres partes: dar la orden de parar («¡Basta de pegar!»), proponer alguna alternativa («Cuando estés enfadado, márchate») y exponer una razón por la cual hay que parar («Si pegas haces daño»).

Si su hijo sigue mostrándose agresivo, repitan la reprimenda, añadiendo el método de tiempo muerto para dar mayor importancia a la situación.

Olvidar el incidente cuando ya ha pasado

Recordar a un niño algún comportamiento agresivo pasado no le enseña a dejar de tener esa actitud. Sencillamente le recuerda cómo se podría comportar de nuevo.

Qué hacer

No emplear la agresividad para combatirla
Si le pegan, le están dando permiso para que él pegue en determinadas circunstancias.

No mostrarse enfadados cuando su hijo se porte de manera agresiva
Si se enfadan cuando su hijo pega, sólo están demostrando a su hijo que puede utilizar la agresión para ejercer cierto poder sobre ustedes.

Mike «el mordedor»

A sus veintidós meses, Mike Meyer era conocido en el barrio como
«el vecino mordedor», gracias a la práctica adquirida de sus dos hermanos mayores, que se burlaban de él sin piedad. La señora Meyer
amenazaba a su hijo pequeño para que cesara su agresividad:

«Si no dejas de morder a la gente, Mikey, te voy a dar un azote»,
pero sabía perfectamente que nunca iba a cumplir su amenaza.

Las bromas de sus dos hermanos mayores, de tres y cinco años,
no parecían molestar a la madre. De hecho, toda la familia hacía
bromas sobre mil cosas y la madre pensaba que no había que tomarse
demasiado en serio que se rieran de Mikey. Su marido no estaba de
acuerdo con ella.

«Piensa lo mal que debe sentirse Mikey cuando se meten con él y
le llaman bebé», decía el padre.

Aunque no quería admitirlo, la señora Meyer no había caído en el
problema desde el punto de vista de Mike, es decir, que se defendía
de sus hermanos con base en mordiscos porque no era capaz de contestar a los ataques verbales. Decidió por lo tanto instruir a los tres
hijos que a partir de aquel momento quedaba terminantemente prohibido cualquier tipo de ataque, ya fuera mediante mordiscos, puñe-
tazos, bromas o lanzamiento de objetos. Pensó que ése era el único
modo de enseñar, por un lado a los mayores a dar ejemplo de buen

comportamiento y, por el otro, a Mike a elegir el tipo de juego que atraería la atención y las alabanzas de sus padres.

Al día siguiente, Mike comenzó a morder a sus hermanos, como de costumbre, cuando lo llamaron «enano gruñón». La señora Meyer reprendió primero a Mike:

«¡Basta de morder! Se muerden las manzanas, no a las personas. Si muerdes haces daño», le dijo al niño serenamente.

También reprendió a los hermanos de Mike: «¡Dejen de pelear con su hermano! No está bien reírse de la gente, porque herimos sus sentimientos», les explicó.

Como con las reprimendas no bastaba para que los niños dejaran de lanzar ataques físicos y verbales, la señora Meyer añadió: «Siento mucho que se hayan comportado de ese modo, mordiendo y metiéndose unos con otros. Tiempo muerto.»

Y los tres niños tuvieron que sentarse cada uno en una silla, apartados unos de otros, permaneciendo así un rato antes de poder ir a jugar de nuevo.

Como la señora Meyer se mantuvo firme en sus enseñanzas y elogiaba a los chicos cuando se portaban bien, los tres aprendieron lo que les esperaba si se peleaban y lo que sucedía si se portaban amistosamente, es decir, que podían obtener premios y estaban mucho mejor que sentados en una silla durante todo el día. Mike comenzó a morder con menos frecuencia, ya que dejó de tener que corresponder a las bromas de sus hermanos.

Se meten por todas partes

Desde el primer año de vida, el niño siente auténtica alegría al explorar absolutamente todo, de la cabeza a los pies. Si no hay restricciones, investigarán todo lo que tengan a su alcance, allá donde estén. Su hijo de un año no nace sabiendo lo que significa «no» y lo que significa «sí», aunque a partir de los dos años es capaz de distinguirlo si lo han educado bien. Mientras limitan las aventuras de sus pequeños exploradores, no olviden tratar de que su hijo en edad preescolar (o aún mayor) encuentre un equilibrio entre lo que está permitido y su curiosidad correctamente encauzada, enseñándole lo que es adecuado y lo que no, tanto dentro como fuera de casa.

Cómo evitar el problema

Poner su casa a prueba de niños

Si mantienen cerradas las puertas y determinadas zonas de la casa y vigilan a los jóvenes aventureros, limitarán el número de veces que han de decir «no» a diario y harán que la vida resulte menos peligrosa tanto para ustedes como para su hijo. Los niños menores de tres años no pueden entender por qué no pueden ir adonde ellos quieren, especialmente cuando están intentando seriamente establecer su independencia y hacerse un hueco en el mundo (véase Apéndice I, página 225, para más información sobre la seguridad de los niños).

Decidir lo que se puede tocar y lo que no
Decidan lo que puede hacer el niño y permitan que lo haga lo antes posible. Pueden decirle: «Puedes jugar aquí o allí», por ejemplo, «pero no en el despacho de papá».

Apartar los objetos que se pueden romper y no se deben tocar
Los niños de uno, dos o tres años no comprenden la diferencia entre el jarrón valiosísimo que está investigando y el del «todo a cien».

Enseñar al niño cuándo puede sobrepasar los límites
Expliquen a su hijo cuándo puede ir a los sitios que normalmente están prohibidos para él, porque si le dicen que nunca puede entrar en una habitación o pasar por una calle, sólo conseguirán que el niño desee aún más hacerlo. Pueden decirle, por ejemplo: «Puedes entrar en el despacho de mamá sólo cuando vayas con ella o con algún otro mayor.»

Cómo solucionar el problema

Qué hacer

Emplear reprimendas
Recriminen reiteradamente a su hijo la misma ofensa para enseñarle lo que realmente pretenden. Digan: «¡Deja de entrar en ese cuarto! Siento que estuvieras jugando allí, ya sabes que es un sitio prohibido. Me gustaría que fueras capaz de pedir a mami que te acompañe cuando quieras entrar.»

Poner al niño en tiempo muerto

Si su hijo se dedica continuamente a trepar a la mesa de la cocina (y es una de las cosas prohibidas), corríjanlo anunciando: «tiempo muerto», mientras le llevan a un lugar apartado para dar mayor énfasis a la reprimenda (véase página 27 para más información sobre el tiempo muerto).

Tener muy en cuenta cuándo el niño sigue las normas

Demuestren a su hijo lo orgullosos que se sienten porque haya recordado que no puede tocar cierto objeto. Al felicitarlo de este modo, están premiando su comportamiento, al tiempo que fomentan que el niño quiera hacer bien las cosas de nuevo. Pueden decirle: «¡Es estupendo ver lo bien que estás jugando aquí, como habíamos quedado!» o «Gracias por no subirte a la mesa del salón.»

Enseñar al niño a tocar con la vista, no con las manos

Expliquen a su hijo que puede mirar determinados objetos, como por ejemplo un adorno, un jarrón o un cuadro, observando con la vista, sin tocar. Con ello le permiten tener la libertad de explorar el objeto deseado de un modo controlado.

Qué no hacer

No hacer más apetecible lo prohibido

Si se enfadan cuando su hijo rompe una norma, el niño comprenderá que llama la atención a causa de su mala conducta y tenderá a provocar nuevos problemas más a menudo.

No emplear un castigo severo

Sin embargo, resultan muy adecuadas las reprimendas y el tiempo muerto, porque no afectan a la autoestima del niño ni le hacen pensar que todo lo que tiene que hacer es romper algo para que le hagan caso.

¡No se toca!

«La curiosidad mató al gato» era la frase que la señora Stein recordaba haber oído a su madre cuando, de niña, se subía a algún mueble prohibido. Ahora se encontraba con que su hijo de quince meses, Sam, exploraba sin cesar las lámparas y plantas prohibidas. Sabía perfectamente que no era malo intencionadamente, sino que tenía el comportamiento típico de la edad. Pero la señora Stein no creía que sus reacciones ante su curiosidad fueran normales o que demostraran demasiada autodisciplina.

«¡No, no lo toques!», le gritaba, dándole en las manitas o en el trasero cuando hacía algo de lo que tenía prohibido.

La señora Stein sabía que el niño había hecho algo malo siempre que veía que el niño merodeaba a su alrededor, tratando de evitar las consecuencias de ser pescado *in fraganti* cuando le vencía la curiosidad. Decidió tener bajo llave todos los objetos que pudiera, para poner fuera de su alcance cualquiera de ellos que pudiera romperse, al tiempo que intentaba pasar con el niño el mayor tiempo posible.

«¡Toca todo con la vista, no con las manos!», le dijo una mañana especialmente activa, en que el niño había empezado por vaciar el joyero, una de las cosas que la madre había olvidado poner en lo alto de la estantería. La madre ordenó la caja y guió a su hijo hacia la cocina, donde ambos pasaron un rato sacando de los armarios todos los trastos. También se pusieron a jugar con el cubo de actividades del niño, encajando cada llave en su hueco y con otros juguetes de ese estilo, que estimulan la imaginación y la curiosidad, apropiados para su edad y que él pudiera montar y desmontar.

Cuando Sam descubrió que tenía a su alcance cosas que podía utilizar libremente para jugar, los Stein comenzaron a tener su casa en orden. Aunque la señora Stein sabía que no podía dejar de vigilar la cu-riosidad de su hijo, le permitió tener más libertad que antes, ya que su casa estaba más preparada para los niños.

La madre vio que Sam estaba aprendiendo a obedecer cuando se empeñó en jugar con un paquete de harina que estaba prohibido y le dijo su madre: «¡No! ¡Mamá ha dicho que no se toca!» y el niño lo dejó.

Para premiar su buen comportamiento, su madre le dio un paquete cerrado de arroz, que se puso a agitar como si fuera un sonajero.

Destrozan las cosas

La línea entre el juego creativo y el destructivo no existe para los preescolares hasta que sus padres se lo meten en la cabeza. De modo que, antes de que su hijo llegue a cumplir el primer año, tracen perfectamente ese límite diciéndole (y mostrándole) lo que puede y no puede pintar, romper o esconder, para evitar que su pequeño aprendiz de artista estropee sin querer cualquier cosa ajena o de su propiedad. Enseñen permanentemente a su hijo a apreciar las cosas y a cuidarlas, le pertenezcan o no, mientras le dejan que fluya su creatividad en los lugares y momentos oportunos, es decir, que pinte sobre el papel, no en la pared, o que juegue con un teléfono de juguete, no con el de la casa.

Cómo evitar el problema

Proporcionar al niño juguetes lo suficientemente fuertes como para que no los rompa

Es típico de los niños en edad preescolar intentar montar y desmontar determinados juguetes que se prestan para este tipo de actividad, mientras que otros juguetes no sirven para ello. Con el fin de estimular el juego creativo, llenen la zona de juegos del niño con juguetes que hagan algo (cubiletes que encajan unos sobre otros, cubo de actividades, con agujeros de distintas formas donde el niño ha de introducir la forma determinada, juegos donde se toca algún botón) en lugar de juguetes que sólo sirven para sentarse a mirar (como el piano, que no pueden tocar).

Proporcionar al niño cosas que pueda vestir y romper
Si le dan al niño ropa para vestir y desvestir, papel para recortar y pintar o alguna cosa por el estilo, su hijo no querrá reemplazar nuevos y preciosos materiales por sus propios proyectos inocentes.

**Compartir normas específicas sobre
el cuidado y el modo de jugar con los juguetes**
Dado que los niños no nacen sabiendo el valor de las cosas o la manera en que han de jugar con cada cosa, instruyan a su hijo respecto al modo en que ha de cuidar de los periódicos y de los libros, por ejemplo. Pueden decirle: «Sólo puedes colorear con los plumones en tu libro de dibujos. No se pinta en ningún otro sitio.» «Los libros no son para recortar. Si quieres recortar, pídeme algo que puedas recortar» o «esta manzana de mentira no se puede partir ni comer como si fuera de verdad. Si quieres una manzana, te daré una de verdad.»

Supervisar los juegos de su hijo
Echen un vistazo de vez en cuando a su hijo mientras juega, porque no pueden esperar que el niño cuide de las cosas igual que los adultos.

**Ser consecuente sobre lo que puede
destrozar y con lo que puede jugar**
No confundan a su hijo y le hagan examinar una y otra vez las normas permitiéndole que destroce algo que no debería. No es capaz de discernir ni puede entender que le estropeen su diversión castigándolo por algo que ahora está prohibido y antes estaba permitido.

Recordarle cómo debe cuidar las cosas

Aumenten las ocasiones de evitar la destrucción haciendo que su hijo sepa cuándo está cuidando bien de sus juguetes. Con ello le recuerdan la norma, le ayudan a sentirse bien y hacen que se sienta orgulloso de sus posesiones.

Cómo solucionar el problema

Qué hacer

Corregir exageradamente el desastre

Si su hijo tiene más de dos años, enséñenle a cuidar de sus cosas haciendo que ayude a arreglar el desastre causado. Si, por ejemplo, su hijo escribe en la pared, deberá limpiar todas las paredes de la habitación, no sólo la que ha pintado. Con esta exageración del problema consiguen despertar en el niño un sentido de la posesión y del orden, al tiempo que le enseñan a limpiar paredes.

Emplear reprimendas

Si su hijo tiene menos de dos años, empleen una breve reprimenda (explíquenle lo que ha hecho, por qué está mal hecho y lo que debería haber hecho). Con ello le ayudarán a comprender por qué le han estropeado la diversión.

Aplicar al niño el método del tiempo muerto

Si han empleado el sistema de la reprimenda con el niño y éste destroza algo de nuevo, repitan la reprimenda y reclúyanlo un rato en el rincón del tiempo muerto (véase página 27 para más información sobre ello).

Qué no hacer

No esperar demasiado

Si su hijo rompe algo, no se desespere. Con su enfado transmiten la idea de que le importan más las cosas que el niño. Asegúrense de que el enfado ante algún estropicio no es desproporcionado.

No emplear castigos severos

Si las actividades de su hijo no entrañaban peligro alguno, concéntrense en enseñarle a cuidar correctamente de las cosas, en lugar de centrarse en el destrozo cometido.

Tim «el terrorífico»

Walt y Becky Brady sabían que tenían en casa un «terminator» de tres años antes de que el profesor de la guardería les llamara para hablarles del niño. Podrían haber agotado al profesor con historias de sus creaciones con bolígrafo rojo sobre la pared empapelada en amarillo del comedor o los mosaicos que realizaba con las hojas y las tapas de los libros.

«¿Cuándo vas a dejar de destrozarlo todo, Tim?», le gritaba el señor Brady, mientras le daba un azote en el trasero y lo recluía en su habitación. La niñera acababa de contarle que Tim había pintado en el suelo con bolígrafo mientras ellos se encontraban en una conferencia. Por milésima vez, hubieron de repetir el castigo una hora después, cuando el señor Brady descubrió que Tim había destrozado tres libros de cuentos mientras estaba en su cuarto.

Decidieron entonces que debían dar un escarmiento a su indomable hijo. La siguiente vez que vieron a su hijo Tim arrancando una página de un libro, no lo amenazaron ni le dieron un azote.

«Ahora te toca pegar la hoja que has arrancado, Tim», le anunciaron, tomándolo de la mano y llevándolo al lugar donde estaba la cinta adhesiva y ayudándole a reparar el libro.

Tim no sólo tuvo que reparar aquel libro, sino que a los tres o cuatro días le tocó limpiar las paredes, fregar el suelo y reparar las cartas que había roto por alguna que otra esquina, actividades que no volvió a repetir una vez que hubo pagado por ellas.

Cada vez que estropeaba algo, los padres le explicaban lo que podía y lo que no podía romper. Tras varios días de aprender que debía ser cuidadoso y responsable con las propiedades de todos, igual que lo eran sus padres, Tim comenzó a notar la importancia que le daban al asunto. Sonreía cuando veía que sus padres lo felicitaban por cuidar de manera responsable de sus libros, de sus discos y de sus animales disecados e inclinaba avergonzado la cabeza cuando caía alguna vez en alguno de sus viejos hábitos destructivos.

Aunque el comportamiento de Tim dejó de ser destructivo, sus padres comprendían que no podían esperar que cuidara de sus juguetes como los mayores, pero se esforzaron en darle buen ejemplo para que Tim entendiera que también ellos practicaban lo que predicaban sobre el respeto de la propiedad.

Todo es suyo

Como todo lo que hay en este mundo pertenece al niño preescolar hasta que alguien le diga lo contrario, nunca es pronto para enseñarle que no ha de apropiarse de las cosas de los demás a menos que haya obtenido algún permiso. Hasta que alcanzan su desarrollo, los padres son la conciencia de los niños, de modo que cada vez que el niño se apodere de algo que no le pertenece, hagan hincapié en la importancia de ser legal, ahora y siempre.

Cómo evitar el problema

Marcar las normas
Animen a su hijo a que les avise cuando desee algo y enséñenle cómo ha de pedirlo. Decidan lo que se puede y no se puede tomar de los sitios públicos o de otras casas y hagan que su hijo les siga el juego. Una norma básica podría ser: «Deberás preguntarme siempre si puedes tomar alguna cosa antes de apropiarte de ella.»

Cómo solucionar el problema

Qué hacer

Explicar al niño cómo obtener cosas sin sustraerlas

Puede que su hijo no comprenda por qué no puede apropiarse de lo que ve cuando se le antoja, de modo que deberán enseñarle el comportamiento correcto e incorrecto. Pueden decirle: «Puedes pedirme un chicle. Si te digo que sí, puedes sujetar el paquete hasta que paguemos.»

Ser consecuentes

No permitan que su hijo tome algo del supermercado un día y no la vez siguiente. Con ello sólo logran que el niño se confunda cuando intente decidir por sí mismo lo que puede y no puede tener.

Explicar al niño lo que significa sustraer

Eduquen a su hijo respecto a la diferencia entre pedir prestado y sustraer, así como los resultados de cada acción, para asegurarse de que sabe perfectamente a lo que se refieren cuando le dicen: «No se puede sustraer sin consentimiento.»

Dar un escarmiento al niño por sustraer algo

Para que escarmiente cuando sustraiga algo, mantengan a su hijo ocupado en otras tareas por la casa o entregando una de sus posesiones más preciadas. Pueden decirle, por ejemplo: «Siento que te hayas apropiado de eso que no te pertenece. Por haberlo hecho, te toca darme algo tuyo.» Pueden devolverle unos meses más tarde lo que le han hecho entregar, como premio por buen comportamiento.

Hacer que el niño devuelva lo que ha robado

Enseñen a su hijo que no puede quedarse sin permiso cosas que no son suyas o que le han prestado. Hagan especial hincapié en que sea él mismo quien devuelva lo que ha quitado (si hace falta, le acompañan).

Aplicar el tiempo muerto

Cuando su hijo tome algo que no le pertenece, háganle saber que deberá estar aislado de los demás y de otras actividades por haber roto la norma. Díganle: «Siento que te apropiaras de lo que no es tuyo. Tiempo muerto» (véase página 27 para más información sobre el tiempo muerto).

Qué no hacer

No recordar historias pasadas

No recuerden al niño incidentes pasados. Al hacerlo, únicamente contribuyen a que no olvide ese mal comportamiento, en lugar de que aprenda a portarse bien.

No etiquetar al niño

No llamen al niño «ladrón», porque comenzará a comportarse como tal.

No preguntar al niño si ha robado

Al preguntar al niño, le incitan a la mentira. El niño pensará: «Sé que me van a castigar, de modo que, ¿por qué no mentir para evitarlo?»

No dudar en registrar al niño

Si sospechan que su hijo ha sustraído algo, compruébenlo registrándolo. Si encuentran lo que ha robado, obren en consecuencia. Pueden decir al niño: «Siento que te apropiaras de algo que no te pertenece» y procedan a aplicar alguna de las soluciones indicadas en el apartado: *Qué hacer*.

El pequeño ratero

Sandy y Doug Berkley jamás habían infringido la ley, ni habían ido a la cárcel y tampoco deseaban que su hijo de cuatro años, Scott, pudiera ser encerrado entre barrotes por hacerlo. Pero al ver que su pequeño se empeñaba en sustraer chicles, juguetes y cualquier objeto que se le antojara cada vez que acompañaba a la compra a sus padres, comenzaron a preguntarse (medio en serio, medio en broma) si le esperaría algún futuro en prisión.

«Pero, ¿no comprendes que no se puede robar?», le gritó la señora Berkley a su hijo cuando lo pescó con las manos en la masa, al tiempo que le daba un manotazo y le decía que era un niño malo. Empezó a tener miedo de hacer recados con su hijo, ante el horror que le provocaba tener que castigar físicamente al niño.

Pero Scott desconocía totalmente las razones por las cuales estaba prohibido robar. Los Berkley se dieron cuenta finalmente de que probablemente el niño no comprendía que no estaba bien apropiarse de lo ajeno, de modo que le explicaron claramente la situación.

«Scott, no se pueden tomar las cosas antes de pagarlas», comenzó el señor Berkley. «Puedes pedirme un paquete de chicles y si yo te dejo, puedes llevarlo en la mano hasta que lo paguemos; vamos a practicar.»

Scott estaba encantado de complacer a sus padres porque ahora, cada vez que quería un chicle, según establecía la norma, padre y madre le felicitaban por cumplirla y pagaban el chicle.

Cuando Scott intentó salir de la tienda con una paleta sin haber pedido permiso a su madre para que la pagara, la señora Berkley cumplió la segunda norma haciendo «pagar» al niño su error: «Como has robado la paleta», le dijo la madre mientras regresaban a la tienda, «deberás entregar la paleta de mentira que tienes en tu supermercado de juguete».

A pesar de las protestas de su hijo, hubo de entregar su posesión que tanto le gustaba.

«Si quieres que te devuelva tu paleta», le explicó su madre, «deberás cumplir las normas, pidiendo permiso primero y sin apropiarte de nada que no hayamos pagado», terminó de decir cuando regresaron a casa.

Tras varias semanas de alabanzas a Scott por cumplir las normas, la paleta volvió a formar parte del supermercado del niño y los Berkley se sintieron más seguros sobre el futuro que le esperaba a su pequeño.

Tienen instinto posesivo

La palabra «mío» es la contraseña más utilizada por todos los preescolares para demostrar a los demás (y a los adultos) que dominan el mundo y que son lo suficientemente importantes como para gozar de derechos territoriales en el momento y lugar que ellos quieran. Pese a las guerras que se desatan por el empleo de estas tres letras en todos los hogares donde haya un niño menor de cinco años, el instinto de posesión se mantendrá totalmente activo hasta que el propio desarrollo del niño lo haga desaparecer (entre los tres y los cuatro años). Ayuden a que prevalezca el periodo de paz antes y después de que su hijo pueda llegar a un acuerdo sobre lo que es y lo que no es de su propiedad, enseñándole continuamente las normas del toma y daca por las cuales se rige el mundo. Traten de que se cumplan en casa las normas de saber compartir, pero no pierdan la paciencia. No esperen que el niño las cumpla exactamente hasta que vean que es capaz de compartir sin que se lo pidan, señal memorable de que el niño está preparado para ampliar sus fronteras.

Cómo evitar el problema

Asegurarse de que su hijo tiene algunos juguetes que le pertenecen totalmente

Para que un niño pueda soltar la palabra «mío» y sentir un apego especial por algún objeto, antes debe tener la oportunidad de poseer cosas. Guarden un determinado juguete o su manta preferida para que el niño no tenga que compartirlo con las visitas. Con ello el niño sentirá que tiene algún territorio de su propiedad.

Señalar positivamente cómo comparten las cosas con sus amigos

Muestren a su hijo que no es el único que ha de compartir cosas. Pónganle ejemplos en tiempo neutral (tiempo durante el cual el niño no tiene que compartir) sobre cómo comparten ustedes los libros con sus amigos, diciendo: «Hoy Mary me ha pedido prestado el libro de recetas» o «Charlie me ha pedido el podadora.»)

Señalar lo que significa compartir y lo mucho que ustedes valoran que lo haga

Siempre que vean que su hijo permite que otro niño mire mientras él juega o que le deje jugar, expresen claramente su satisfacción para que el niño piense que compartir es realmente bueno. Díganle: «Me gusta ver lo bien que compartes las cosas dejando que tu amiguito tenga un minuto el juguete», por ejemplo.

Poner etiquetas a algunos juguetes (para el caso de gemelos o de hermanos muy seguidos)

Asegúrense de que no confunden el osito de peluche de su hijo con el de su hermana, por ejemplo, si los dos son iguales. Marquen cada uno de ellos con el nombre para que su hijo esté seguro de que es el suyo.

Establecer las reglas de compartir

Antes de que venga ningún amigo a casa, expliquen a su hijo lo que esperan de él cuando vaya a jugar en grupo. Por ejemplo, explíquenle la siguiente norma: «Si ponen un juguete en el suelo, cualquiera puede jugar con él. Si tienes el juguete en la mano, puedes conservarlo.»

Comprender que su hijo puede ser más generoso para compartir en casa de algún amigo

Como no se encuentra en su territorio, puede desempeñar un papel más pasivo cuando se encuentre en casa de otro niño y volverse más posesivo y agresivo en la suya.

Recordar que compartir es una función del desarrollo

Aprender a compartir es una tarea que no se puede asimilar rápidamente. Hacia los tres o cuatro años de edad, normalmente su hijo comenzará a compartir las cosas por sí mismo, sin que nadie tenga que recordárselo.

Cómo solucionar el problema

Qué hacer

Supervisar el juego de los niños de uno a dos años

Dado que no podemos esperar que un niño menor de tres años vaya a compartir nada, permanezcan cerca de él mientras está jugando, para ayudarle a resolver cualquier problema que surja por tener que compartir, ya que son demasiado pequeños para hacerlo sin ayuda.

Programar el reloj

Cuando dos niños chillan «mío» ante el mismo juguete, enséñenles cómo funciona el toma y daca de compartir. Expliquen a uno de los dos que van a programar el reloj y que, cuando suene, le toca tener el juguete al otro. Sigan con el mismo método hasta que se cansen del juguete (suele ser después de sonar dos veces el reloj).

Poner los juguetes en tiempo muerto

Si un juguete es el origen del problema porque un niño no quiere compartirlo, pongan el codiciado juguete en tiempo muerto, fuera del alcance de los niños. Si el juguete no está delante de los niños, no causa ningún problema. Pueden decirles: «Este juguete es un problema, lo mandaremos al tiempo muerto.» Si los niños siguen peleando por el juguete después de que lo hayan puesto fuera de circulación, manténganlo apartado para que quede bien claro que, si no lo comparten nadie juega con el juguete (véase página 27 para más información sobre el tiempo muerto).

Qué no hacer

No perder la paciencia

Recuerden que el niño aprenderá las normas de compartir cuando pueda, no a la fuerza o porque ustedes se lo pidan. Cuando vean que su hijo comienza a compartir... ¡sabrán que ya es capaz de hacerlo!

No castigar al niño por no compartir en un momento determinado

Quiten de la circulación el juguete conflictivo en lugar de castigar al niño por no compartir algo ocasionalmente. Con ello echan la culpa al juguete, no al niño.

Aprendiendo a compartir

Mark Gold, de tres años, sabía lo que significaba la palabra «compartir», es decir, que no podía sentarse y abrazar todos los juguetes que era capaz de abarcar, cada vez que su amigo Jim venía a jugar a casa con él.

«¡Debes compartir los juguetes!», le dijo su madre después de ver que Mark se pasó otro día agarrando todos los juguetes que podía y diciendo «mío» cuando su madre le decía: «¡Déjale eso ahora mismo, Mark!»

«Voy a dar a los pobres todos tus juguetes, que los apreciarán mucho más», le gritó la madre un día, amenazando al niño y dándole finalmente un azote, mientras apartaba al lloroso enano de sus juguetes.

Aquella noche, una vez que su hijo estuvo acostado, la señora Gold le dijo a su marido: «Mark no tiene ni idea de lo que significa compartir». Afirmación que el señor Gold pensó que arrojaba nueva luz al problema. Ambos decidieron que debían enseñar al niño lo que significaba exactamente compartir.

Al día siguiente, antes de que llegaran sus dos primos, la madre de Mark se dirigió a su hijo y le dijo: «Mark, éstas son las normas para compartir. Todo el mundo puede jugar con cualquier cosa de esta casa siempre que otro no la tenga. Si tú o Mike o Mary tienen un juguete, por ejemplo, nadie puede quitárselo. Sólo se puede tener un juguete cada vez.» Mark y su madre decidieron entonces el juguete que Mark no quería dejar a nadie y lo guardaron, para que no fuera foco de discusiones durante la visita de los primos.

Las horas siguientes resultaron tensas para la señora Gold, pero Mark parecía estar más tranquilo. Comenzó acaparando sólo un juguete y dejando que los primos escogieran lo que quisieran del baúl. «¡Qué orgullosa estoy de ver lo bien que compartes!», le decía su vigilante madre mientras observaba la operación.

Cuando se fue a preparar la merienda, el familiar «mío» la obligó a regresar de nuevo. Mary y Mark tiraban cada uno de un brazo de la nueva muñeca «que eructaba sola». «Este juguete es un problema», dijo la madre inmediatamente, «lo enviaremos al tiempo muerto». Todos los niños miraban con tristeza a la pobre Betsy sentada en la silla del tiempo muerto, que parecía tan sola como un cachorrillo abandonado. Dos minutos después, la señora Gold devolvió el juguete a los niños, que ya se habían olvidado y estaban jugando con las construcciones.

Según pasaban las semanas, todos los niños jugaban juntos, sin necesidad de tiempos muertos para restaurar la paz, especialmente desde que Mark estuvo más dispuesto a dejar que «sus» juguetes fueran los juguetes «de todos» durante el tiempo de juegos.

Los que odian la hora del baño

Desde las fórmulas de los champús que no provocan picor de ojos hasta los pañales desechables, existen infinidad de productos que facilitan a los padres y a los niños la hora del baño, del lavado de pelo y del cambio de pañales. Como era de esperar (todos los fabricantes lo saben), los niños en edad preescolar odian las faenas relativas al aseo, con lo cual animamos a los padres a que no se sientan solos sus hijos mientras insisten en las operaciones de mojado y aclarado. Traten de hacer que estas tareas resulten lo menos aburridas posible, distrayendo la atención del niño con canciones y cuentos y solicitando cualquier cooperación por su parte (incluso que sujeten el jabón).

Nota: Distingan claramente cuáles son los productos que irritan físicamente a su hijo (¿escuecen los ojos?) y los que irritan mentalmente (¿son todos los jabones inadecuados?), observando si con sus protestas quieren indicar otra cosa aparte de que no les gusta la hora del aseo. Si ven que algún producto irrita la piel, no duden en cambiarlo, empleando algún otro recomendado profesionalmente.

Cómo evitar el problema

Acordar con el niño la hora y el lugar destinados al aseo

Intenten ponerse de acuerdo con su hijo sobre asuntos tales como el lugar donde cambiar el pañal (en la cuna, de pie) o el momento de lavarse el pelo. Sean flexibles para que el niño no se vea obligado a dejar su paseo favorito por tener que lavarse el pelo o que se pierda un episodio de la serie de televisión permitida justo porque tienen que cambiar el pañal.

Implicar al niño en la tarea

Ayuden a su hijo a formar parte de la tarea de lavarse o cambiarse el pañal. Pídanle que les ayude a traer cosas que pueda llevar, según la edad, la destreza y la capacidad de seguir instrucciones. Dejen que lleve algún juguete favorito o la toalla, por ejemplo, para que tenga la sensación de que ejerce algún control sobre el momento del aseo.

Preparar al niño para el acontecimiento

Avisen al niño un poquito antes de que sea la hora del baño, por ejemplo, para que el cambio del juego al baño sea menos brusco. Pueden decir, por ejemplo: «Cuando suene el reloj, ¡al baño!» O «Dentro de unos minutos cambiamos el pañal» o «Cuando terminemos este libro, nos vamos al baño».

Reunir todo lo necesario antes de comenzar

Si su hijo es demasiado pequeño para preparar las cosas, comprueben que tienen a mano todo lo necesario antes de comenzar la «batalla» del baño; sin duda acelerarán el proceso.

Desarrollar una actitud positiva

Su hijo notará perfectamente el temor en su voz al anunciar que ha llegado la hora del baño, como si se tratara de una sentencia de muerte, con lo cual, si percibe que el tema les preocupa, decidirá que es realmente tan horrible como pensaba. Dado que su actitud es contagiosa, mantengan una actitud que quieran que el niño imite.

Cómo solucionar el problema

Qué hacer

Mantener la calma e ignorar el llanto
Si mantienen una actitud tranquila frente al berrinche de su hijo, lograrán contagiarlo. Si no hace caso de los gritos, su hijo aprenderá que por mucho ruido que haga, no llama la atención, que es lo que realmente pretende cuando se resiste al baño. Díganse a sí mismos: «Sé que es necesario cambiar el pañal al niño. Si no hago ni caso al escándalo que está originando, lo haré con más rapidez y eficacia.»

Estar alegre durante el proceso
Si hablan y juegan con el niño mientras está en plena lucha, cantando canciones o recitando alguna poesía, distraerán su atención. Por ejemplo, pueden decirle: «Vamos a cantar 'Cucú, cantaba la rana'» o «Seguro que no puedes atrapar el barco y hundirlo en el agua.» Si su hijo es demasiado pequeño para participar, conviertan la charla en un monólogo.

Animar al niño para que ayude y felicitarlo efusivamente
Pidan al niño que se lave él solo el tronco, que se frote con el jabón o que desate el pañal (si el tiempo lo permite) para que tenga la sensación de que controla y participa de algún modo en su higiene personal. Han de alabar incluso la más leve señal de cooperación. No escatimen las palabras de aliento, cuanta más atención reciba el niño por actuar como ustedes quieren, más veces repetirá la acción para recibir sus

caricias. Díganle: «Me encanta cómo te pones el champú en el pelo» o «¡Qué bien sabes ponerte de pie en el baño! O «Gracias por quedarte quietecito mientras te cambiaba el pañal.»

Aplicar la norma de la abuela

Hagan saber a su hijo que, cuando haya terminado de hacer lo que ustedes le habían pedido que hiciera (bañarse), entonces podrá hacer lo que realmente quería (leer un cuento). Díganle: «Cuando te hayas bañado, leeremos el cuento» o «Cuando hayamos terminado, puedes ir a jugar.»

Persistir en la tarea

Por mucho que el niño patalee, grite o llore por no querer irse a bañar, recuerden que han de terminar la tarea. Cuanto antes vea el niño que por mucho que grite no va a conseguir evitar el baño, antes comprenderá que pueden realizar el trabajo con más rapidez si permanece tranquilo.

Felicitar al niño por lo limpio y guapo que queda después

Expliquen al niño lo bien que huele y lo guapo que está. Pídanle que se mire en el espejo para hacerle ver por qué es necesario bañarse o cambiar el pañal. Si el niño aprende a estar orgulloso de su aspecto, incorporará a sus propias prioridades el deseo de estar limpio, igual que los adultos.

Qué no hacer

No pedir cooperación

Sólo porque pidan a su hijo que se deje cambiar el pañal, no quiere decir que vaya a estarse tranquilamente tumbado mientras lo hacen. Si actúan con brusquedad, estarán enseñando al niño a actuar igual.

No hacer desagradable la tarea

Para que el momento del baño sea lo más confortable posible, intenten por ejemplo proporcionar al niño una toalla para que se seque los ojos o una bata para que se ponga por encima y que el agua esté siempre a la temperatura adecuada.

No permitir que se quede sin bañar

Sólo porque el niño se resista, no cedan a la tentación de dejarlo sin bañar. La resistencia al baño se puede superar con persistencia.

Océano de diversión

Carol y Phil Porter bañaban y enjabonaban a su hija de dos años, Pam, como pensaban que hacían la mayoría de los padres que conocían, pero empezaron a temer que algo le pasaba a la niña cuando, cada vez que le tocaba el momento del baño, se ponía a gritar y a patalear sin fin. Ninguno de los amigos de los Porter se quejaba del problema y ellos nunca habían tenido esa experiencia con su otra hija, Elizabeth, que tenía cuatro años.

Sabiendo que no podían renunciar a lavar a su pequeña, los Porter inventaron distintas formas de hacer que a su hija le resultara más apetecible aquel momento, una vez que el pediatra les había asegurado que el jabón, el agua y las toallas que utilizaban no le irritaban ni perjudicaban en absoluto. «¿No le gusta absolutamente nada bañarse?», les preguntó.

Los Porter sabían que la única actividad relacionada con el agua que la niña adoraba era nadar en verano en el océano Pacífico, de manera que decidieron llamar a la bañera «océano de diversión», aunque el señor Porter era partidario de aplicar alguna medida más estricta.

Así que la noche siguiente los Porter intentaron la artimaña. Primero programaron un reloj para que sonara cuando fuera el momento de ir al «océano». En California, siempre habían tenido un reloj para señalar el momento de ir al océano real porque Pam se pasaba la vida suplicando que la dejaran bañarse allí. Esperaban que el método también funcionara en Minneapolis. «Cuando suene el reloj, es hora de comenzar el nuevo juego», le dijo la señora Porter a Pam la primera noche. «Vamos a terminar este libro mientras esperamos.»

Cuando sonó el reloj para anunciar el baño, tanto Pam como su madre recopilaron las toallas y el jabón; mientras, Pam no paraba de preguntar cómo era el nuevo juego y dónde se encontraba el océano.

Pam sonrió encantada cuando su madre la llevó al baño, donde se encontró con el océano más azul que había visto jamás (gracias a las sales azules) y con alegres barquitos alrededor de un barco de juguete que contenía una jabonera, juguetes que la señora Porter había comprado para añadir al experimento.

Pam se lanzó al agua sin necesidad de que la empujaran, sin esperar siquiera a que la invitaran y se puso a jugar con todos sus juguetes. Su madre comenzó a cantar una canción que hacía referencia a un remolcador de barcos y por primera vez Pam se enjabonó ella sola el pelo.

El experimento continuó sin gritos ni lamentos aunque probablemente con unas cuantas salpicaduras más. Pero las dos disfrutaron tanto del momento del baño que la señora Porter comenzó a bañar a Pam en el «océano» al menos una vez al día, para darle más oportunidades de aprender a salpicar menos, a lavarse sola con más cuidado, y a disfrutar de la experiencia en lugar de temerla.

Son desordenados

Los pequeños crean un gran desorden y desgraciadamente para aquellos padres que son ordenados, no suelen ser conscientes del caos que crean a su alrededor. Como saben que su hijo realmente no es desordenado, sino que desconoce la necesidad de serlo, enséñenle (cuanto antes mejor) que el desorden no desaparece por arte de magia, que el autor (y sus ayudantes) han de guardar todo de nuevo. Compartan este modo de vida con su hijo, pero no esperen que siga la norma a la perfección. En lugar de exigir, estimulen el deseo de limpieza en el niño mediante todo tipo de alabanzas ante el menor intento que haga de ordenar algo.

Cómo evitar el problema

Ir ordenando los juguetes según se usan

Por ejemplo, enseñen al niño a poner en su sitio los juguetes inmediatamente después de usarlos, para evitar el desorden mientras el niño salta de un juguete a otro. Logren que el niño adquiera el hábito a edad temprana, para fomentar que se convierta en un niño ordenado y que más tarde, cuando sea adulto, sea organizado.

Enseñar al niño a ordenar lo que ha desordenado
Tengan cajas y cajones de tamaño adecuado para que el niño pueda guardar físicamente sus juguetes, la arcilla, etcétera.

Enséñenle el modo de acoplar los objetos en la caja y el lugar donde se guarda la caja cuando está llena, para eliminar la posibilidad de que no sepa a qué se refieren cuando le pidan que guarde alguna cosa o que limpie algo.

Ser lo más específico posible
En lugar de pedir a su hijo que limpie su habitación, díganle exactamente lo que quieren que limpie. Digan por ejemplo: «Vamos a poner las pinzas en el cubo y las construcciones en la caja», de manera que a su hijo le resulte lo más sencillo posible seguir sus instrucciones.

Proporcionar los elementos adecuados para limpiar
No esperen que su hijo sepa con qué limpiar lo que ha ensuciado. Deberán darle un trapo para limpiar la mesa, por ejemplo, felicitándolo por sus esfuerzos para realizar el trabajo, después de que le hayan dado las herramientas adecuadas.

Confinar las actividades en lugar seguro
Asegúrense de que su hijo se instala en los lugares menos delicados para divertirse con juegos que manchan (pinturas, arcilla). No esperen que el niño sepa que no ha de ensuciar la alfombra del comedor si le han permitido jugar sobre ella, por ejemplo.

Cómo solucionar el problema

Qué hacer

Aplicar la norma de la abuela

Si su hijo se niega a limpiar algo que ha ensuciado, prométanle que podrá hacer lo que le divierte cuando haya hecho el trabajo que le han pedido. Pueden decirle, por ejemplo: «Sí, ya sé que no quieres recoger las construcciones; pero cuando las hayas recogido, podrás ir a la calle a jugar.» Recuerden que su hijo, a partir del año, puede ayudar en las tareas de ordenar, aunque sea una mínima parte, y que necesita hacerlo lo mejor posible a su nivel, aumentando lentamente la dificultad de las tareas.

Ayudar en las tareas de limpieza

A veces la tarea de limpieza resulta demasiado pesada para los músculos o las manos del niño. Participen en el trabajo para fomentar la cooperación y la contribución, dos lecciones que ustedes desean que su hijo aprenda cuando llegue al nivel preescolar. Ver limpiar a mamá o a papá, por ejemplo, convierte la limpieza en algo más que una actividad razonable y atractiva.

Jugar a la carrera contrarreloj

Cuando se juega a la carrera contrarreloj para recoger los juguetes, la tarea deja de ser ardua y se convierte en divertida. Participen de la diversión diciendo al niño, por ejemplo: «Si consigues ordenar todos tus juguetes antes de que suene el reloj, puedes sacar otro juguete.» Cuando su hijo logre vencer al reloj, felicítenlo y cumplan su promesa.

Alabar cualquier esfuerzo relativo a la limpieza

Animen a su hijo a ser ordenado mediante una poderosa motivación: el elogio. Comenten con él el buen trabajo que está haciendo mientras está colocando sus lápices en su sitio, diciéndole por ejemplo: «Estoy realmente contenta de que por fin hayas guardado los lápices en el estuche. Gracias por ayudar a limpiar tu habitación».

Qué no hacer

No esperar la perfección
Su hijo no ha tenido más que unos miles de días para practicar él solo la limpieza, de manera que no esperen que el trabajo sea perfecto. Sólo el hecho de que lo intente significa que está aprendiendo a hacerlo. Mejorará con la práctica y la edad.

No castigar el desorden
Su hijo aún no puede entender el valor de la limpieza y no tiene la suficiente madurez para permanecer limpio. «Mis padres dejan sus juguetes tirados de modo que, ¿por qué yo no puedo?», puede preguntarse el niño cuando ve el cenicero sucio, el periódico o el bolígrafo sobre la mesa del café.

No esperar que los niños se preparen para el desorden
Su hijo no conoce el valor de vestir bien. Proporciónenle alguna ropa vieja para que se ponga a modo de babero, por ejemplo, en lugar de esperar que conserve impoluta la ropa nueva mientras pinta.

Desorden total

John y Bev Wareman estaban acostumbrados a todo excepto al caos de juguetes que sus gemelas de casi cinco años, Margaret y Mandy, provocaban casi a diario.

«Los niños buenos guardan siempre sus juguetes», les decía la señora Wareman, intentando convencer a las niñas para que no dejaran sus juguetes en el cuarto de estar cuando habían dejado de jugar.

Como eso no funcionaba, comenzó a darles algún que otro azote y las mandaba a su habitación cuando no ponían en orden las cosas, lo que parecía ser un castigo para la madre, ya que las niñas creaban un auténtico caos cuando las dejaban solas.

La señora Wareman descubrió el modo de resolver el dilema cuando comprendió lo mucho que les gustaba a las niñas jugar en el jardín, con el columpio nuevo. Decidió entonces convertir aquella actividad en un premio que habrían de ganarse y que no se daría sin nada a cambio. Un día que las niñas querían ir a la calle, en lugar de guardar las pinzas y los cacharritos con los que habían estado jugando, les dijo: «Ésta es la nueva norma, niñas. Sé que les gusta ir a jugar fuera, de modo que cuando hayan ordenado los cacharritos, Margaret, y las pinzas, Mandy, podrán hacerlo. Les ayudaré.»

Las niñas se miraron. No querían ordenar, pero nunca habían oído antes esas normas. La señora Wareman les ayudó a colocar las pinzas en el bote, de manera que Mandy comprendiera lo que quería decir «ordenar las pinzas». Abrió entonces la bolsa para que Margaret pudiera ordenar los cacharritos, cada uno en su sitio, sin dejar lugar a dudas de lo que significaba ordenar la cocinita.

Mientras las niñas y su madre ordenaban juntas, la señora Wareman insistió en lo contenta que estaba por sus esfuerzos. «Gracias por ordenar. Han realizado un gran trabajo rellenando el bote con las pinzas. Me entusiasma cómo lograron encajar los cacharritos en esa bolsa diminuta», les comentó, abrazándolas con auténtico orgullo. Inmediatamente las niñas cruzaron por la puerta, permitiendo que su madre preparara la merienda en lugar de tener que ordenar detrás de ellas.

Durante varias semanas, fue necesario premiar a las niñas por ordenar, pero finalmente aprendieron que guardar un juguete antes de sacar otro hacía que fuera más rápida la tarea, al tiempo que provocaba todo tipo de atenciones por parte de su madre.

Rivalidad entre hermanos

Acusar a los hermanos y hermanas y odiar al nuevo hermanito desde el primer día que invade la familia, ésos son dos buenos ejemplos de cómo causa estragos la rivalidad entre hermanos en las relaciones familiares. Dado que los niños en edad preescolar se pasan el día batiendo las alas de independencia e importancia, suelen pelear con sus hermanos por el espacio, el momento y el lugar para ser el número uno de su mundo más importante, su familia. Aunque la rivalidad entre hermanos es normal en las relaciones familiares más amistosas, a causa de la naturaleza competitiva de los seres humanos, su frecuencia puede disminuir fomentando que cada uno de los niños se sienta especial y único. Para que la rivalidad entre hermanos sea mínima, muestren a los niños que el buen entendimiento produce múltiples beneficios como mayor atención y privilegios.

Nota: Para reducir la rivalidad respecto al recién nacido, asegúrense de que juegan con el mayor independientemente de que el pequeño esté despierto o dormido. Con ello evitarán que el mayor piense que sólo le hacen caso cuando el nuevo está fuera de la vista. Si pasan tiempo juntos, el niño mayor pensará: «Mamá me hace caso siempre, cuando mi hermanito está delante y cuando está dormido. Después de todo, ¡no es tan malo!»

Cómo evitar el problema

Preparar al niño antes de que el nuevo hermano invada su mundo
Discutan con su hijo mayor (si tiene más de un año) cómo podría implicarse en la vida del nuevo hermano. Explíquenle en qué consistirá la vida diaria de la familia con la llegada del bebé. Con ello lograrán que el niño vea que esperan que él también ayude y que no pasa a segundo plano. También le harán sentirse parte importante en los cuidados que ha de recibir el hermanito o la hermanita para satisfacer sus necesidades, igual que ustedes.

Llevar a cabo metas de entendimiento reales
No esperen que su hijo colme de caricias al recién nacido, como hacen ustedes. Puede que sea mayor, pero no olviden que también tiene necesidades y deseos.

**Planificar un tiempo especial para
dedicar a solas a cada uno de los hermanos**
Aunque tuvieran media docena de niños menores de seis años, intenten planificar el tiempo de modo que cada uno de ellos pueda gozar de un ratito a solas con sus padres (por ejemplo, el baño, el paseo, el viaje al supermercado). Con ello podrán centrar su atención en un solo niño y en sus necesidades, permitiendo estar al tanto de los sentimientos y problemas que puede que no afloren en medio del estruendo de la multitud familiar.

**Dar consejos individuales
(para padres de mellizos o de niños muy iguales de edad)**
Desplieguen la creatividad de cada niño independientemente, para reafirmar en su hijo la idea de que merece una atención individual.

Cómo solucionar el problema

Qué hacer

Jugar a la carrera contrarreloj

Cuando su hijo pelea con los demás por obtener toda la atención de sus padres, por ejemplo, hagan que sea el reloj quien determine cuando le toca a cada uno. Con ello consiguen dividir el tiempo y permiten que cada niño tenga su turno para ser el foco de atención, igual que sus hermanos y hermanas.

Ofrecer alternativas a la pelea

Permitir que estalle una pelea y que se extienda por toda la casa no enseña a los niños a entenderse. En lugar de permitir batallas, ofrezcan a los niños alguna alternativa para cuando están peleando, es decir, entenderse o no entenderse. Pueden decir: «Pueden hacer las paces y seguir jugando o no hacerlas y permanecer un rato en el tiempo muerto» (véase página 27 para más información sobre el tiempo muerto). Hagan que los niños tengan la costumbre de elegir, para que tengan la sensación de que controlan sus vidas y ayudarles a que aprendan a tomar decisiones.

Definir el entendimiento

Sean específicos en alabar a los niños cuando están jugando tranquilamente juntos y asegúrense de que su hijo sabe lo que quiere decir entenderse bien. Díganles: «¡Qué bien están jugando juntos y compartiendo los juguetes! Me encanta lo bien que se llevan y lo bien que lo pasan juntos.»

Qué no hacer

No contestar a las acusaciones

Los niños se delatan para mejorar su posición ante sus padres. Pueden acabar con este juego de «yo acuso, tú me acusas» diciendo a los niños: «Siento que no se entiendan» y simulando que la acusación no ha sucedido. Incluso cuando denuncien alguna actividad peligrosa, pueden detener dicha actividad si ignoran la acusación.

No establecer que uno ha de acusar al otro

Pedir al hermano mayor que venga a contarles lo que está haciendo su hermanita, por ejemplo, no es una buena manera de enseñarle a llevarse bien sin acusar.

No enfadarse cuando su hijo no siempre quiere al hermano

Por su naturaleza, los niños no pueden vivir bajo el mismo techo sin que exista alguna rivalidad entre ellos. Hagan que las discusiones sean mínimas premiando el buen entendimiento y no permitiendo que la rivalidad se convierta en una batalla.

No alimentar rencores

Una vez que la discusión haya terminado, no recuerden a los niños que antes eran enemigos. Borrón y cuenta nueva.

La guerra de los Starr

Las peleas constantes entre Jason y Julie Starr, de cuatro y dos años repectivamente, tenían a sus padres ejerciendo de árbitros todo el día, tarea que les hacía preguntarse por qué demonios se les habría ocurrido tener niños, especialmente aquéllos, que no apreciaban los esfuerzos realizados para poder comprarles ropa bonita, juguetes y cosas ricas de comer.

Dos de los métodos favoritos de Jason para demostrar a su hermana que se la «guardaba» eran los mordiscos y las burlas, cuando pensaba que estaba acaparando durante demasiado tiempo a su padre o a su madre. Jason siempre parecía estar buscando que lo regañaran o que lo zurraran, castigos que le aplicaban cada vez que comenzaba a molestar a su hermana.

La única vez que la señora Starr observó en su hijo un comportamiento amable con su hermana fue cuando le ayudó a cruzar la calle por un sitio que había hielo. La señora Starr se puso tan contenta de ver aquel mínimo síntoma de decencia que le dijo a su hijo: «¡Qué maravilla, cómo has ayudado a tu hermana! ¡Estoy muy orgullosa de ti!»

Más tarde, los Starr decidieron que si lograban fomentar más episodios del estilo, podrían repartir todo tipo de halagos cuando sus hijos se llevaran bien, mientras que lograrían hacer algún trato con sus hijos cuando se pelearan.

Tuvieron ocasión de poner en práctica su nuevo método cuando volvieron de la compra aquel mismo día y comenzó una auténtica batalla por las construcciones. La señora Starr no tenía ni idea de quien había empezado pero dijo a sus niños: «Pueden elegir, jovencitos. Como yo no sé quién ha quitado primero el juguete al otro, pueden hacer las paces, jugar y hablar como han hecho en el coche hace un rato o pueden permanecer aislados un rato en tiempo muerto.»

Ninguno de los niños respondió a la nueva pregunta de su madre, siguieron peleando por las construcciones, de modo que la Sra. Starr anunció lo siguiente: «Han elegido el tiempo muerto» y sentó a cada uno en una silla destinada al tiempo muerto.

Julie y Jason se pasaron un rato protestando por el castigo, pero cuando se quedaron tranquilos y se les permitió levantarse de la silla, cambiaron de cara para el resto del día. Comenzaron a comportarse como compañeros, en lugar de ser enemigos, y su madre se alegró de no haberse enfadado como sus hijos.

Los Starr continuaron con su estrategia de dar especial relevancia a aquellos momentos en que sus hijos se llevaban bien, ignorando prácticamente cualquier pelea que observaran y aplicando el tiempo muerto para separar a los niños y hacer cumplir las consecuencias de elegir las peleas.

El aprendizaje del orinal

Aprender a controlar las necesidades fisiológicas es la mayor batalla entre padres e hijos en edad preescolar. La batalla comienza cuando los padres reclaman su independencia, pretendiendo que su descendencia renuncie a algo que es de naturaleza inferior para ellos y que comiencen a hacer algo nuevo y a menudo indeseable. Para la mayoría de los niños, lo que desean es complacer a sus padres al aprender a hacer sus necesidades. De modo que, para fomentar que sucedan los mínimos accidentes durante el aprendizaje, intenten prestar más atención a lo que debería hacer el niño (no mojarse los pantalones, sentarse en el orinal) que a lo que no debería hacer (hacerse «popo» encima). Ayuden a que su hijo se sienta orgulloso mientras reducen la probabilidad de que tenga un accidente sólo para que le presten atención.

Nota: Si su hijo sigue teniendo continuamente este tipo de accidentes después de haber cumplido los cuatro años, consulten con el médico. Este capítulo no discute el caso de que los niños mojen la cama, porque muchos preescolares no son capaces aún de permanecer secos toda la noche. Muchos expertos creen que después de los seis años, mojar la cama podría constituir un problema que se puede tratar de muchas maneras.

Cómo evitar el problema

Buscar signos de que su hijo está preparado para aprender a controlarse (la mayoría de los niños suelen estar preparados hacia los dos años).

Las señales normalmente aceptadas que muestran que el niño ya es capaz de controlarse son: capacidad de permanecer seco durante unas horas; capacidad de entender determinadas palabras como «orinal», «mojado» y «seco»; capacidad de seguir instrucciones sencillas como «bájate los pantalones», «siéntate en el orinal», etcétera.

No intentar enseñarles demasiado pronto
El aprendizaje precoz sólo sirve para que el niño aprenda a ser más dependiente de sus padres, en lugar de desarrollar su propia capacidad para controlar sus necesidades.

Enseñarle a usar correctamente el orinal
Familiaricen a su hijo con el orinal y enséñenle a usarlo, mostrándole cómo van ustedes al baño y cómo puede hacerlo él.

Colocar el orinal en el lugar más conveniente posible, para cuando su hijo pueda necesitarlo
Colocar el orinal en el suelo de la cocina, por ejemplo, durante el aprendizaje básico. Coloquen el orinal cerca de ustedes al principio para ayudarle a sentirse más cómodo al estar en público.

Emplear una técnica determinada y seguir con ella
La que se describe en *Toilet Training in Less Than a Day (Enseñar al niño a hacer sus necesidades en menos de un día)*, por ejemplo, responde a todos los casos y describe el método paso a paso.

Cómo solucionar el problema

Qué hacer

Premiar al niño cuando permanece seco y aprende correctamente
Enseñen a su hijo a mantenerse seco ensalzando lo bueno que es estar seco. Con ello conseguirán aumentar las veces que el niño consigue lo que ustedes desean (estar seco) y prestan mayor atención a ese comportamiento que si se equivoca.

Cada quince minutos, pueden decir al niño: «¡Tócate los pantalones!, ¿Están secos?» Con ello también le dan más responsabilidad al niño, haciéndole sentir que domina el asunto. Si está seco, demuéstrenle su alegría. Díganle: «¡Qué bien que hayas conseguido permanecer seco!»

Recordar al niño las normas sobre el lugar donde ha de hacer sus necesidades
Muchos preescolares hacen sus necesidades de vez en cuando en algún sitio inapropiado (en la calle, por ejemplo). Si su hijo realiza alguna acción de este estilo, recuérdenle que la norma es: «Se supone que has de hacer pipí en el orinal. Vamos a practicar.» Y muéstrenle cómo hacerlo en el orinal.

Reaccionar con tranquilidad ante los accidentes
Centren sus esfuerzos en pedir al niño que consiga permanecer seco haciendo pipí en el orinal. Con ello refuerzan la autoconfianza del niño y le muestran que es capaz de hacer sus necesidades como ustedes quieren. Si su hijo se ha mojado, díganle: «Siento que te hayas mojado. Ahora necesitamos aprender a permanecer secos.» Entonces practiquen diez veces acudiendo al cuarto de baño desde diferentes partes de la casa (bájenle los pantalones, siéntenlo en el retrete, súbanle los pantalones, vuelvan a sentarlo en el retrete, etc.) Mien-

tras practican no es necesario que el niño haga nada en el orinal, sino sencillamente que realice cada uno de los pasos correctos.

**Tener presente que los niños no siempre ven una razón
para hacer sus necesidades de la manera que nosotros queremos**
Si estar mojado no constituye un problema para su hijo, incrementen la importancia de estar seco mediante premios que ayuden al niño a reconocer sus ventajas. Pueden decirle: «¡Qué mayor eres, que no te has mojado en un rato! Como has permanecido seco, puedes leer un cuento», por ejemplo.

Aplicar la norma de la abuela cuando estén fuera de casa
Si su hijo sólo quiere su orinal cuando está fuera de casa, apliquen la norma de la abuela. Lleven consigo el orinal, o bien ofrezcan al niño incentivos por usar otro. Pueden decirle: «Necesitamos que estés seco. Todos los orinales son iguales. No podemos usar tu orinal porque no está aquí. Cuando uses este orinal, nos vamos a dar un paseo por el zoo.»

Qué no hacer

No castigar ese tipo de accidentes
El castigo sólo sirve para que el niño sepa que se ha mojado los pantalones o que ha hecho pipí en algún otro sitio, pero no le enseña a permanecer seco.

No hacer preguntas erróneas
Si le dicen con frecuencia: «tócate los pantalones», le están recordando sutilmente: «¿Quieres ir al orinal?», pregunta que generalmente suele obtener un no por respuesta. Ayuden a su hijo a sentirse responsable por preocuparse de estar seco y por hacer algo que le hará sentirse mayor porque es capaz de cuidar de sí mismo como mamá y papá.

Los accidentes de Kelly

Cuando comenzaron las vacaciones de verano, Kelly Winter, con sus tres años y medio, comenzó a olvidar algo más que su conocimiento de los números y de las letras: sus accidentes ocasionales señalaban que esperaba demasiado antes de decidirse a ir al cuarto de baño. La señora Winter podía ver el «baile» de la niña por no ir al cuarto de baño.

Kelly se dio cuenta de que podía aliviar su necesidad física de tener que «ir» dejando escapar sólo un poquito de pipí y mojando las braguitas. Cuando su madre la regañaba y le daba un azote por mojarse, Kelly siempre puntualizaba que sólo había sido «una gota».

La señora Winter llegó a la conclusión de que Kelly quería llamar la atención con sus accidentes, ¿qué otra razón podía haber para mojarse sólo un poquito? Tras analizar la situación, los Winter decidieron recomenzar el método de aprendizaje que habían empleado con su hija el año anterior y comenzaron a elogiar a Kelly cada vez que tenía las braguitas secas, en lugar de enfadarse cuando las mojaba.

«Toca tus braguitas, Kelly», le pidió la madre a la mañana siguiente, después de desayunar. «¿Están secas?» La señora Winter se quedó tan encantada como Kelly cuando su hija respondió alegremente: «Sí», con una gran sonrisa. «Gracias por permanecer seca, cariño», felicitó a su hija al tiempo que le daba un enorme abrazo. «¡A ver si no te mojas en todo el día!»

Tras pasar unos cuantos días invitando a la niña a que comprobara sus braguitas periódicamente (y comprobando Kelly que estaban secas), la señora Winter pensó que se había acabado el problema, pero un día Kelly se mojó de nuevo.

«Vamos a practicar diez veces el recorrido al orinal», explicó la madre a su afligida hija, que parecía realmente decepcionada de ver que su madre no la felicitaba como hacía cuando tenía las braguitas secas.

Kelly aprendió enseguida que era más fácil ir al orinal y obtener las alabanzas de su madre que practicar diez veces el camino al baño, de modo que consiguió conservar sus braguitas secas durante varios meses.

Los Winter continuaron elogiando a Kelly y recordándole varias veces su tarea durante el año siguiente. Entendían que Kelly debía restablecer firmemente el hábito anterior y de aquella forma los padres podían ayudarla mejor que enfadándose y preocupándose cuando ensuciaba sus braguitas.

Apegados a sus padres

La imagen de un niño agarrado a la falda de su madre, pidiendo brazos mientras ella intenta cocinar o salir de la habitación no resulta desconocida para muchos padres de preescolares que se encuentran en tal situación, una parte de la vida diaria muy real y emotivamente temible. A pesar de que es difícil resistirse, no caigan en la tentación de quedarse en casa o de ponerse a jugar con el pequeño trepador, cuando vayan a cumplir con la tarea de vivir un rato su propia vida. Si desean o necesitan dejar al niño con una niñera, abrácenlo con fuerza, para transmitirle confianza y mostrarle lo orgullosos que se sienten porque juegue solo y asegúrenle que después volverán, añadiendo con voz sincera que están muy contentos de que pruebe a jugar con la niñera. Su actitud positiva es contagiosa (igual que la negativa) y le servirá de modelo para sentirse bien cuando se separe de ustedes y para practicar un rato el proceso de independencia. Si cubren al niño de besos y abrazos durante un tiempo neutral, ayudan a evitar que se sienta ignorado y que se pegue a sus padres para llamar su atención. Estar pegado a las faldas es una llamada de atención inmediata y urgente, muy diferente de lo que significa ser muy cariñoso.

Cómo evitar el problema

Apartarse un tiempo del niño desde muy pequeño

Para que su hijo se acostumbre a la idea de que no siempre van a estar a su alrededor, vayan apartándose de él ocasionalmente durante cortos periodos de tiempo (unas cuantas horas), desde que el niño es muy pequeño.

Contar al niño lo que van a hacer durante la ausencia

Si cuentan al niño lo que van a hacer cuando se vayan, le dan un buen ejemplo para que cuente lo que él ha hecho durante el día. Describan lo que él va a hacer y dónde van a estar ustedes mientras están separados de él, para que no se preocupe ni por su destino ni por el de sus padres. Por ejemplo, pueden decirle: «Laura va a prepararte la cena, después te leerá un cuento y luego te acostará. Papá y mamá vamos a salir a cenar y regresaremos a las once». O también, «Ahora tengo que preparar la cena. Cuando haya terminado y tú hayas jugado con los Play-Doh, podremos leer juntos un cuento».

Jugar a «cucú, tras, tras»

Con este sencillo juego consiguen que su hijo se acostumbre a la idea de que las cosas (y ustedes) se van y, lo que es más importante, que vuelven. Los niños de uno a cinco años juegan a «cucú, tras, tras» de muchas maneras, escondiendo la cara con las manos, observando a los demás esconderse detrás de los dedos y (especialmente para los de dos a cinco años), jugando al escondite.

Asegurar a su hijo que más tarde volverán

No olviden decirle que luego volverán y cumplan su palabra, regresando cuando han dicho que lo harían.

**Proponer actividades que su hijo sólo realice
cuando ustedes están fuera o están ocupados**

Preparar a su hijo para la separación
Planteen la cuestión de que van a salir y que su hijo sobrevivirá mientras estén fuera diciéndole: «Ya sé que eres un niño mayor y que estarás bien mientras estoy fuera.» Si lo sorprenden marchándose sin avisar, siempre se preguntará cuándo van a volver a marcharse repentinamente.

Cómo solucionar el problema

Qué hacer

**Prepararse para aguantar el llanto
cuando se separen de su hijo y él no quiera**
Recuerden que el llanto únicamente cesará cuando su hijo aprenda la valiosísima lección de que puede sobrevivir sin sus padres durante un tiempo. Díganse a sí mismos: «Sé que llora porque me quiere mucho. Necesita aprender que aunque no esté jugando con él o me vaya un rato, siempre voy a regresar y volveré a jugar con él.»

Alabar a su hijo cuando se vayan a separar
Hagan que su hijo se sienta orgulloso de su capacidad para jugar solo. Díganle: «¡Qué orgulloso estoy viéndote jugar solo mientras limpio el horno!», por ejemplo. «¡Qué mayor eres ya!» Con ello consiguen que al niño le parezca que el tiempo que está apartado de ustedes merece la pena por ambos motivos.

Utilizar la silla del llanto

Hagan saber a su hijo que es normal que no le guste que ustedes estén ocupados o que se vayan, pero que si protesta está molestando a los demás. Díganle: «Siento que no te guste que tenga que cocinar. Ve a la silla del llanto hasta que seas capaz de jugar sin llorar» (véase Son llorones, páginas 79 a 83). No permitan que el niño siga llorando delante de ustedes.

Reconocer que su hijo necesita un tiempo
para estar con sus padres y otro para estar sin ellos

Tanto para los padres como para los hijos es necesario evitar tener que estar todo el día juntos. Con lo cual, sigan con sus tareas diarias, por mucho que su hijo proteste por hacer otra cosa en lugar de estar jugando con él o por mucha bulla que arme cuando lo dejan con una niñera.

Comenzar poco a poco las separaciones

Si su hijo de más de un año requiere demasiada atención, apliquen el juego de la carrera contrarreloj. Dedíquenle cinco minutos de su tiempo y hagan que juegue solo durante cinco minutos. Vayan incrementando el tiempo dedicado a jugar solo por cada cinco minutos de dedicación de sus padres, hasta que el niño consiga estar jugando una hora él solo.

Qué no hacer

No enfadarse cuando su hijo está pegado a ustedes

Comprendan que ustedes pueden preferir estar con todo el mundo mientras que su hijo prefiere su compañía.

No castigar al niño por pegarse a sus faldas
Enséñenle a separarse de ustedes mediante el reloj.

No enviar mensajes contradictorios
No le pidan que se vaya mientras lo abrazan, lo miman o lo acarician. Con ello hacen que el niño se confunda y no sepa si ha de irse o quedarse.

No hacer de una enfermedad la razón para romper las normas
Asegúrense de que no sea más divertido estar enfermo que estar sano, por permitirle hacer determinadas cosas que tiene absolutamente prohibido hacer cuando está bien. Muchas de las investigaciones realizadas a adultos enfermos indican que los niños que han recibido una atención especial mientras estaban enfermos suelen ser menos capaces de superar enfermedades crónicas cuando se convierten en adultos. Las enfermedades deben tratarse de manera práctica, variando lo menos posible las costumbres diarias.

¡No me dejen!

A Joan y Rick Gordon les gustaba tanto salir a divertirse que cuando su hijo de cuatro años, Paul, se agarró horrorizado a los pantalones de su padre cuando llegó la niñera, ambos padres se exasperaron.

«Anda Paul, cariño, ¡no seas bebé! Te queremos mucho, es una tontería que te sientas tan mal. Siempre salimos los sábados», le explicaron mientras besaban a su hijo, despidiéndose para irse a cenar.

Pero Paul no hallaba consuelo y gritaba sus cuatro palabras bien ensayadas a todo volumen: «¡No se vayan! ¡No me dejen! ¡Quiero ir!»

Los Gordon no podían entender en qué se habían equivocado para que su hijo tratara de «castigarlos» siempre que pretendían salir de casa. ¿Acaso los odiaba tanto, se preguntaban, que intentaba angustiarlos delante de la niñera y manchar su ropa de fiesta con sus deditos pegajosos?

Cuando se reunieron con sus amigos, los Reillys, y les contaron su problema, sus amigos les hicieron comprender, para gran alivio suyo, que Paul se colgaba de ellos porque los quería mucho, no porque los odiara. También les explicaron cómo habían conseguido ellos que su hija se acostumbrara a su ausencia.

Los Gordon intentaron la estrategia de los Reillys el sábado siguiente. Antes de irse, prepararon a Paul diciéndole: «Sabemos que eres un niño muy mayor y vas a estar muy contento mientras nosotros nos vamos al cine. Cuando regresemos, tú estarás en la cama, pero estaremos aquí para cuando te despiertes mañana por la mañana. Laura va a prepararte palomitas con la máquina nueva, después va a leerte un cuento y luego te irás a la cama. ¡Que te diviertas!» No tuvieron que irse dejando a su hijo arrastrándose por el suelo inmerso en llanto; se quedó sólo haciendo pucheros.

Después de su aparente éxito, cada vez que los Gordon se iban de casa, proferían todo tipo de alabanzas a su hijo sobre lo tranquilo que había estado, mientras le contaban a dónde iban, qué iban a hacer y cuánto iban a tardar.

Y cada vez que la niñera les informaba que se había portado bien, se esforzaban por demostrarle al niño lo orgullosos que se sentían de él por haberse quedado jugando tranquilamente mientras estaban fuera. «Gracias por haberte quedado tan tranquilo y por ayudar a Laura a hacer las pastas la otra noche», le comentaban mientras lo abrazaban.

Los Gordon fueron pacientes, sabiendo que deberían esperar varias semanas antes de poder salir de casa viendo a su hijo despedirles tan feliz, sin pataleos ni pucheros. Al mismo tiempo, dejaron de meterse con el niño por comportarse como un bebé y al ignorar su llanto consiguieron que éste no tuviera ningún sentido.

Relación con extraños

«No aceptes ningún caramelo de un extraño» es una advertencia que millones de padres de preescolares hacen a sus pequeños cada vez que salen de casa sin ellos. La advertencia es bien válida. Los niños necesitan aprender cómo comportarse en general ante un extraño, igual que necesitan saber relacionarse con la gente con quien esperamos que se relacionen. No exageren el miedo del niño ante los extraños, enseñándole a diferenciar entre saludar a una persona o irse con ella o aceptar sus sugerencias, por ejemplo. De ese modo su hijo adquirirá seguridad para saber qué hacer cuando están sus padres y cuando no lo están.

Cómo evitar el problema

Establecer las normas

Hagan saber a su hijo las normas sobre la relación con los extraños. Una norma básica puede ser: «Sólo puedes saludar o contestar que no a alguien que no conozcas. Si un extraño te pide que lo acompañes o intenta darte algo, responde que no y echa a correr hasta la casa más cercana y llama al timbre.»

Practicar las normas

Simulen que son ustedes el extraño y pidan a su hijo que corra hacia la casa más cercana para acostumbrarse a seguir las normas correspondientes.

No asustar al niño

Si asustan al niño sólo crean confusión y no le enseñan lo que ha de hacer. Necesita aprender a pensar por sí mismo en el caso de que un extraño llegue a invadir su intimidad. Si lo acostumbran a ser demasiado miedoso, destruirán su capacidad de reaccionar de modo racional.

Cómo solucionar el problema

Qué hacer

Recordar a su hijo la norma alabando el buen comportamiento

Si su hijo saluda a un extraño mientras están ustedes delante, muéstrenle su aprobación por seguir la norma. Díganle: «Estoy muy contento de que hayas recordado que sólo tienes que decir 'Hola'. Recuerda, eso es lo único que has de decir.»

Alentar a su hijo para que sea amistoso

A lo largo de la vida, los niños simpáticos suelen ser aceptados más fácilmente, de manera que es esencial enseñar a ser amable. Es importante diferenciar cuándo, cómo y de qué manera han de transmitir la amabilidad, independientemente de la edad del niño.

Dar ejemplo de amabilidad

Muestren a su hijo la manera correcta de ser amable diciendo: «Hola» a la gente, incluso a los extraños que encontramos por la calle. Es imposible enseñar a los niños a diferenciar entre aquellos extraños que son potencialmente peligrosos y los que no lo son. Incluso los adultos se dejan engañar a veces por criminales «con buena pinta». Añadan a cada una de las lecciones algunas palabras sobre cómo ser amable con un extraño sin marcharse con él ni aceptar ninguna golosina o regalo.

Qué no hacer

No inculcar al niño el miedo a la gente

Para ayudar a su hijo a evitar el peligro de ser molestado, enséñenle la norma, no le enseñen a asustarse de la gente.

El miedo sólo consigue inhibir la toma de decisión correcta, a cualquier edad.

No preocuparse de que su hijo moleste a los demás por saludar

Aunque la persona no se dé por aludida con el saludo, es bueno que su hijo diga: «Hola» en el lugar correcto y en el momento oportuno.

Manteniendo a salvo a Kevin

¿Cómo podríamos enseñar a nuestro hijo Kevin, de tres años y medio, a ser amable sin que corra ningún peligro? Tal era el reto que se plantearon los Docking al intentar resolver el problema de su encantador hijo, que se pasaba la vida diciendo «hola» a todo el que se cruzaba por la calle. ¿Qué pasaría si hacía algo más que decir «hola» a alguien equivocado?, se preguntaban calladamente, preocupados.

«Puede que algún día alguien quiera aprovecharse de tu simpatía», explicaron al pequeño Kevin, empleando la lógica de los adultos. «¡No hables con extraños!», le ordenaron seriamente, al ver que su explicación anterior no impedía su amabilidad ilimitada.

Kevin escuchó con tanta atención sus inflexibles órdenes de mantenerse en guardia, que se aterrorizó y comenzó a responder con una rabieta cada vez que sus padres le pedían que fuera con ellos al centro comercial o al supermercado, donde los extraños podían estar al acecho. No quería ver a ningún extraño, explicó a su madre. Eran tan malos y peligrosos que ni siquiera podía saludarlos.

La señora Kevin se preocupó al ver que sus bien intencionadas maneras de proteger a su hijo realmente eran pésimas. Finalmente comprendió que Kevin no sabía la diferencia entre decir «hola», contra lo cual no tenían inconveniente, y marcharse con un extraño o aceptar algo de él, contra lo cual querían prevenirlo realmente; no comprendía porque jamás le habían dado la oportunidad.

«Un extraño puede ser peligroso si lo acompañas a algún lugar o si aceptas algo de él», explicó con paciencia a su hijo. «La nueva regla, por lo tanto, es que puedes hablar con quien quieras, pero si te dan algo o quieren que vayas a algún lugar, recházalo y corre a la casa más cercana o acércate al primer adulto que veas en alguna tienda.» Los dos practicaron la norma en un centro comercial, jugando a que la madre era el extraño y Kevin tenía que reaccionar.

Sintiéndose más segura sobre la capacidad de su hijo, le recordó a su hijo la norma semanalmente hasta que éste se habituó a ella y no le resultó extraño andar por el mundo de ese modo. Para reforzar la lección, la señora Docking practicaba esforzándose por saludar ella también a los demás, algo que su hijo notaba y elogiaba, igual que ella le elogiaba por cumplir la norma.

El problema no desapareció por completo de la mente de los Docking. Comprendían que debían fomentar que Kevin practicara «saludos seguros» de vez en cuando para convencerlos de que había comprendido y que recordaba su hábito potencialmente seguro.

Se escapan en público

Muchos preescolares curiosos realizan su lista mental de lo que quieren ver y hacer en el centro comercial, en el supermercado, etc., igual que sus padres lo apuntan sobre el papel. El caos se produce cuando ambas listas no encajan y los preescolares creen que su lista tiene prioridad. Como saben que la seguridad de su hijo es más importante que su curiosidad en situaciones que entrañan peligro (ponerse delante del coche, de la gente o del carro de la compra, por ejemplo), refuercen sus instrucciones sobre cómo ha de comportarse, en lugar de protestar por su comportamiento. Hagan que el niño se acostumbre a no separarse de sus padres en público hasta que ambos consigan saber lo que es peligroso y lo que no lo es, con total seguridad, distinción que deberá aprender de ustedes.

Nota: Para fomentar que el niño se quede cerca de ustedes en público, han de hacer hincapié en evitar el mal comportamiento. Una vez que su hijo se ha escapado en público, lo único que han de hacer es encontrarlo y evitar que vuelva a hacerlo, antes de que esa situación se convierta en permanente.

Cómo evitar el problema

Establecer normas de comportamiento en público

En un tiempo neutral (antes o mucho después de que se haya escapado), enseñen a su hijo cómo esperan que se comporte cuando esté en la calle. Díganle: «Cuando estemos en el supermercado, deberás estar a un brazo de distancia de mí», por ejemplo.

Adelantarse a los acontecimientos en la práctica

Una vez que el niño sepa seguir las normas, practiquen con él antes de salir de casa. Digan: «Vamos a ver cómo te quedas a un brazo de distancia de mí. Mira todo lo cerca que puedes estar.» Después de que lo haga, digan: «Qué bien lo has hecho. Gracias por no moverte de mi lado.»

Enseñar a su hijo a que vuelva

Durante un tiempo neutral, agarren al niño de la mano diciendo: «¡Ven aquí, por favor!» Y conduciéndolo hacia ustedes, abrácenlo y digan: «Gracias por venir.» Practiquen cinco veces al día, incrementando lentamente la distancia entre ustedes cuando le dicen: «¡Ven aquí, por favor!», hasta que sea capaz de cruzar toda la habitación o desde un lugar del centro comercial.

Alabar cuando permanece al lado

Hagan que el niño sepa que merece la pena quedarse a su lado alabándolo cada vez que lo haga. Díganle: «¡Qué bien lo has hecho!» o «¡Qué bien sabes ir a la compra sin apartarte de mí», por ejemplo.

Hacer que su hijo participe en la costumbre de no apartarse

Si pueden, hagan que su hijo sostenga algún paquete o que empuje el carro, por ejemplo. Con ello conseguirán que se sienta parte importante de la tarea de la compra y tendrá menos ganas de escaparse.

Cambiar las reglas según cambia el niño

Según vaya madurando su hijo y vaya siendo capaz de darse una vuelta y regresar a su lado en un centro comercial, por ejemplo, deberán cambiar la norma. Explíquenle por qué van a darle más libertad, haciendo que el niño sienta que ha ganado su independencia por su buen comportamiento en público. Con ello le ayudarán a comprender que merece la pena seguir las normas.

Mantenerse firme y constante

No cambien las normas del comportamiento en público sin comentárselo al niño. Si se mantienen firmes y constantes le proporcionarán al niño un sentimiento de seguridad. Al conocer sus límites, puede que el niño tenga alguna crisis de llanto, pero la seguridad que le proporcionan le ayudará a sentirse protegido en territorio extraño.

Cómo solucionar el problema

Qué hacer

Emplear reprimendas y tiempo muerto

Aplicar una reprimenda a su hijo por no permanecer cerca en público le enseñará el comportamiento que ustedes desean y lo que le sucederá si no sigue la norma. Si ven que se les ha escapado, díganle: «¡No, no te escapes! Se supone que tienes que estar a mi lado. Si estás a mi lado estás seguro.» Si rompe la norma frecuentemente, repítanle la reprimenda y llévenlo inmediatamente al tiempo muerto (a un rincón del supermercado o a una silla cercana), mientras se quedan a su lado.

Qué no hacer

No permitir que sea el niño quien dicte las normas

No amenacen al niño con irse a casa si no se queda cerca porque probablemente sea justo lo que él quiere, de modo que puede que se escape para salirse con la suya.

No llevar al niño de compras más de lo que puede soportar

Algunos preescolares pueden seguir las normas durante más tiempo que otros. Preocúpense de conocer a su hijo. Puede que una hora sea lo más que puede aguantar, de modo que piensen en ello antes de salir de casa.

¡Mantente a mi lado!

Los Brody ya no podían llevar fácilmente a su hijo Mathew, de cuatro años, a ningún centro comercial o supermercado, ya que en cuanto sus padres se daban media vuelta, el niño desaparecía de su vista.

«¡Quédate aquí! No te vayas por ahí mientras hacemos la compra», le gritó la señora Brody a su hijo la última vez que desapareció bajo un estante de la sección de lencería del centro comercial.

Su orden resultó totalmente inútil; cuando salieron de la tienda e iban empujando el carro, Matthew salió corriendo hacia el escaparate de otra tienda, mientras señalaba y gritaba: «¡Mira el tren! ¡Mira el tren!»

El escaparate quedaba fuera del alcance de su vista, con lo cual la señora Brody se aterrorizó de tal modo que comprendió que era totalmente necesario establecer algunas reglas para evitar que su hijo desapareciera mientras hacía su compra del verano de ese año. La mañana siguiente, antes de ir al supermercado, le explicó al niño la nueva regla, ya que sabía que el supermercado era el lugar favorito de Matthew para correr de punta a punta.

«Matthew, tienes que estar siempre a un brazo de distancia de mí», comenzó. «Y, siempre a mi lado, puedes ver las cosas con los ojos, no con las manos.»

Durante el ensayo, Matthew se ocultó durante unos minutos de la vista de su madre. «¡No te escapes!», le dijo la señora Brody cuando lo agarró en el pasillo tres y lo sostuvo a su lado. «Se supone que tienes que permanecer a un brazo de distancia de mí. Debes quedarte a mi lado para estar seguro.»

Matthew nunca había oído esa explicación y no estaba muy seguro de su importancia. Actuó como si no hubiera oído nada, marchándose al pasillo de las galletas, que le encantaba.

Aunque estaba indignada por dentro, la señora Brody mantuvo su sangre fría, diciéndose que las normas eran nuevas y que, como todas las normas, había que practicarlas antes de cumplirlas correctamente.

«Se supone que has de permanecer a mi lado porque es más seguro para ti», le dijo, repitiendo la reprimenda a su hijo. Entonces lo llevó a un rincón tranquilo y le dio la espalda mientras seguía cerca de él.

Matthew se quejó chillando: «¡No! ¡Quiero jugar! ¡No te quiero!» Su avergonzada madre se mostró inflexible e ignoró la rabieta, decidiendo que si la reprimenda no era suficiente, pondría al niño en tiempo muerto para que aprendiera la norma.

A los tres minutos (que a la señora Brody le parecieron tres horas), sonrió a su hijo Matthew y le recordó la norma mientras terminaban de hacer sus compras. Cada vez que Matthew obedecía y se quedaba cerca, su madre lo felicitaba: «Gracias por quedarte a mi lado, cariño. Estoy realmente encantada de que hagamos la compra juntos», añadió mientras se paseaban por el pasillo de los cereales y pensaban lo que iban a comprar para desayunar el día siguiente.

Al aplicar el método de la reprimenda con frecuencia, la señora Brody apenas tuvo que volver a aplicar el método del tiempo muerto durante las siguientes semanas, porque ambos se divertían mucho juntos.

Quieren hacer todo ellos solos

«¡Yo solo!» es una de las frases que los padres de los preescolares pueden esperar oír tan pronto como el niño cumple dos años. Con esta declaración de independencia, comienza la oportunidad de oro de sus padres para perfeccionar con la práctica a sus jóvenes «yo-lo-hago-todo», al tiempo que no se infringen las normas de la casa durante el periodo del intento y del error. Ya que la meta final del crecimiento infantil es alcanzar la autoconfianza y autosuficiencia, cólmense de paciencia para soportar las equivocaciones y lograr un equilibrio entre la necesidad de lograr que se realicen las tareas y la importancia de enseñar a sus hijos las técnicas de la vida.

Cómo evitar el problema

No presuponer que el niño no puede hacer algo
Manténganse al corriente de los cambios de nivel de experiencia del niño. Asegúrense de que le han dado la oportunidad de intentar algo antes de que lo haga, de modo que no subestimen su capacidad actual.

Comprar ropa que el niño pueda manejar

Compren ropa que el niño se pueda poner y quitar fácilmente cuando está aprendiendo a sentarse en el orinal, por ejemplo. Compren camisas que se pueda quitar por la cabeza y que no se le queden atascadas cuando se vista él solo.

Guardar la ropa de manera ordenada

Ayuden a su hijo a desarrollar la capacidad de coordinación ordenando su ropa de manera que le resulte más fácil (y a ustedes) alcanzarla.

Intuir la desilusión

Intenten que las tareas sean lo suficientemente sencillas como para que su hijo las cumpla. Desabrochen los botones de los pantalones o bajen la cremallera de la cazadora antes de permitir que su hijo termine el trabajo, por ejemplo.

Cómo solucionar el problema

Qué hacer

Jugar a la carrera contrarreloj

Expliquen a su hijo cuánto tiempo tienen para realizar determinada actividad, para que él no pueda pensar que es su ineptitud lo que hace que ustedes terminen la tarea. Programen el reloj el tiempo que ustedes piensen que necesitan para realizar la tarea y digan al niño: «Vamos a ver si eres capaz de vestirte antes de que suene el reloj», por ejemplo.

Con ello ayudan al niño a que aprenda el sentido de la puntualidad, al tiempo que se reduce la lucha de poder entre ambas partes, ya que es el reloj quien se encarga de controlar el tiempo, no ustedes. Si tienen prisa y han de terminar una tarea que su hijo acaba de comenzar, expliquen al niño que no tienen tiempo, en lugar de dejar que piense que él es tan lento que ustedes han de intervenir.

Sugerir cooperación/compartir

Ya que su hijo no es consciente de por qué no puede hacer algo o de si será capaz de hacerlo pronto, sugiéranle que compartan el trabajo de vestirse o de comer, por ejemplo, haciendo ustedes la parte que sea demasiado difícil para su edad (atar los cordones de los zapatos del niño de un año, por ejemplo). Díganle: «¿Por qué no sostienes el calcetín y yo te pongo el zapato?», para que el niño sienta que él también hace algo, no solamente mirar y sentirse mal.

Hacer recuento del esfuerzo

Como su profesor favorito, pueden fomentar que su hijo realice tareas. Ustedes saben que la práctica conduce a la perfección, de manera que enseñen a su hijo ese axioma diciéndole, por ejemplo: «Me encanta cómo te peinas de bien. Es bastante difícil. Lo haremos otra vez más tarde.» Encuentren algo positivo ante una actuación que no haya salido bien. Alaben que su hijo haya tratado de ponerse los zapatos, aunque no lo haya hecho bien.

Mantener la calma todo lo que se pueda

Si su hijo no quiere que ustedes hagan nada y él quiere hacerlo todo: «Yo me pongo los pantalones», «yo abro la puerta», «yo cierro el cajón», recuerden que simplemente está empezando a afirmar su independencia, que no es pura obstinación.

Como lo que ustedes quieren es que acabe haciendo las cosas él solo, permítanle que lo intente. Aunque puede que no deseen esperar o aguantar que el niño cierre mal el cajón o que coloque la servilleta fuera de su sitio, por ejemplo, no pierdan la paciencia cuando las cosas no se hacen con la rapidez o la precisión que ustedes desearían. Intenten mostrarse encantados de que su hijo esté dando los primeros pasos hacia la autosuficiencia y siéntanse orgullosos de que sea él quien tome la iniciativa.

Permitir toda la independencia posible

Intenten permitir que su hijo haga solo todo lo que él quiera, para que no pueda provocarle frustración su sentido innato de la curiosidad. Dejen que sostenga el otro zapato y se lo entregue, por ejemplo, en lugar de insistir para que se aparte de sus dedos mientras le atan los cordones del primer zapato.

Proponer a su hijo que haga cosas, sin imponer

Para que su preescolar pida bien las cosas, muestren a su hijo cómo ha de hacer preguntas correctamente. Díganle: «Si me lo pides bien, te dejaré hacer x». Después le explican lo que significa pedir las cosas «bien». Enseñen a su hijo a decir: «Por favor, ¿me puedes dar un tenedor?», cuando quiere un tenedor, por ejemplo.

Qué no hacer

No castigar las equivocaciones del niño

Si quiere poner él la leche y la derrama, por ejemplo, la próxima vez no olviden ayudarle a hacerlo. Recuerden que la perfección se logra con la práctica; no esperen un éxito inmediato.

No criticar el esfuerzo del niño

Si no les parece importante, no subrayen el error cometido por su hijo. Aunque se haya puesto el calcetín al revés, por ejemplo, díganle solamente: «Deja que te ponga la parte más suave del calcetín pegada al pie, ¿quieres?», y actúen.

No sentirse rechazado

Si su hijo dice: «Déjame abrir la puerta», aunque ustedes sepan perfectamente que van a hacerlo más rápido y con menos esfuerzo, no se lo den a entender al niño. Permitan que lo intente para que se sienta independiente y vea que ustedes aprecian los esfuerzos que él hace para realizar tareas. No se sientan dolidos porque su hijo no aprecie su ayuda, piensen que su hijo está creciendo y que así ha de ser.

Judy la independiente

Durante los tres primeros años de vida de Judy Manning, su madre le hacía absolutamente todo. Ahora «Miss Independencia» (como su madre la llamaba) no permitía que su madre le hiciera nada, cambio de personalidad que tenía a su madre totalmente confundida y frustrada.

«¡No puedo esperarte todo el día, Judy!», le decía su madre cuando llegaban tarde al colegio y Judy se negaba a que su madre le ayudara a ponerse el abrigo.

«No puedes hacerlo sola», le seguía explicando la madre para convencer a su hija de que no tenía edad para hacer determinadas cosas.

Las oleadas de «quiero y no quiero hacer» cambiaron cuando la señora Manning sintió que, a causa del problema, Judy se estaba disgustando y comenzaba a odiar hacer las cosas ella sola. Mientras su hija se estaba vistiendo una mañana para ir a la calle, la señora Manning observó cómo se ponía el abrigo su hija, haciéndolo ella sola por primera vez. «¡Qué bien has conseguido ponerte el abrigo!», la felicitó su madre, abrochándole el abrigo. «Te has dado prisa para llegar a la escuela. Estoy muy orgullosa de ti», añadió. Se dirigieron hacia la puerta, después de que Judy hubiera permitido a su madre acabar de poner el abrigo sin sostener ninguna lucha, por primera vez en semanas.

Mientras iban a la escuela, la señora Manning pensaba en lo independiente que se estaba volviendo su hija en la guardería, según contaba la profesora, contestando siempre a las preguntas y convirtiéndose en «perpetua ayudante» sin que se lo pidieran.

La señora Manning decidió intentar encauzar los intentos de Judy por ser autosuficiente, algo que había ansiado tanto en Judy un año antes, moderando su deseo de independencia con un reloj, método que había ayudado a Judy a acostumbrarse a irse a la cama y a aceptar el tener que compartir sus juguetes.

Al día siguiente Judy se empeñó en poner la mesa ella sola, como de costumbre. En lugar de ayudarla, su madre le contó el nuevo plan. «Judy, puedes intentar poner la mesa hasta que suene el reloj. Cuando suene, me toca ayudarte. Vamos a ver si eres capaz de acabar de poner la mesa antes de que suene el reloj.»

A Judy no le entusiasmaba la idea de que le ayudara su madre, pero le encantó competir contra el reloj y se sintió superorgullosa aquella noche por haber logrado terminar la tarea antes de que el reloj sonara.

La madre de Judy también estaba radiante. «¡Qué bien has conseguido poner tú sola la mesa!», señaló, mientras sacaba en silencio las cucharas del interior del plato y las colocaba a un lado, sin decir nada a su hija.

La madre de Judy siguió recalcando los esfuerzos de su hija durante cada ataque de independencia, siempre que lo merecía, haciendo que le resultara más fácil completar las tareas, aunque ambas las terminaban juntas cuando era necesario.

Reclaman autonomía

Empeñados en hacerse un hueco en el mundo, puede ser necesario frenar a algunos preescolares por su seguridad, porque aún no son tan autosuficientes, autoconfiados y autocontrolados como ellos creen. A medida que el niño crece, habrán de soltar la cuerda para adecuarla a su edad. Permitan que el niño llegue únicamente hasta donde puede llegar sano y salvo. Aprendan los límites de su hijo probando su madurez y responsabilidad antes de cometer el error de permitir más libertad de la que puede soportar.

Nota: No olviden dar una libertad adecuada a la capacidad de su hijo, proporcionándole constantemente la oportunidad de reforzar su creencia de que es lo suficientemente maduro para gozar de la libertad que ustedes le han dado.

Cómo evitar el problema

Decidir los límites de libertad dentro de la familia

El niño ha de conocer sus límites, lo que puede y no puede hacer, dónde tiene permitido ir, etc., antes de esperar que haga lo que queremos que haga. Hagan saber a su hijo, desde el primer año, los límites de su «territorio» para evitar, en lo posible, todo tipo de acciones «ilegales».

Hagan que su hijo sepa cuándo puede cruzar la frontera

Enseñen a su hijo el reclamo de lo prohibido precisamente por estar fuera de los límites, mostrando y explicando a su joven aventurero cómo puede hacer lo que desea sin que le cause ningún problema. Digan: «Puedes cruzar la calle sólo cuando vayas de mi mano», por ejemplo.

Permitan al niño tanta libertad como él mismo demuestre que puede tener

Si su hijo demuestra que es responsable dentro de sus límites, abran un poco la mano. Hagan que sepa por qué han cambiado para hacer que se sienta orgulloso de su capacidad de seguir instrucciones y de ser lo suficientemente responsable como para ganarse la libertad. Díganle: «Como siempre me pides permiso antes de ir a ver a tu amigo que vive al lado, puedes ir también tú solo a la calle. Pero, por supuesto, ¡pídeme siempre permiso!»

Cómo solucionar el problema

Qué hacer

Ofrecer premios por no traspasar los límites

Hagan que le resulte más agradable mantenerse dentro de los límites centrando la atención en los momentos en que su hijo se porta bien. Díganle: «¡Qué contenta estoy de que te hayas quedado en los columpios sin entrar en el jardín de al lado. Puedes columpiarte tres minutos más.»

Restringir la libertad

Enseñen a su hijo que si no respeta los límites, se acaba la diversión. Díganle: «Siento que hayas salido del parque. Ahora has de quedarte en casa.» O «Siento que hayas cruzado la calle. Ahora deberás jugar sólo en el patio».

Ser todo lo consecuente que se pueda
No permitan que su hijo rompa una norma sin conocer claramente las consecuencias para enseñarle lo que quieren decir exactamente cuando le dicen algo. Con ello también ayudarán a que se sienta más seguro de sus actos una vez que sea autónomo, porque ya sabrá perfectamente lo que ustedes esperan que haga.

Qué no hacer

No pegar al niño por irse a la calle
Si pegan a su hijo sólo fomentan que se esconda mientras está haciendo aquello por lo que le castigan. Está claro que los niños que se escapan a la calle corren un gran peligro, con lo cual no aumenten el problema haciendo que su hijo se escape a hurtadillas.

Sally la emancipada

Sally Hamilton, con sus cinco años, era la pequeña más famosa de la calle Doce, hecho que también causaba el mayor problema en la familia Hamilton, que tenía siete hijos.

«Hoy tengo que ir al cole con Susie, a casa de Donna después de comer y a jugar a las muñecas con María», informó Sally a su madre esa mañana durante el desayuno.

Cuando su madre le dijo que no podía ir a ningún lado aquel día, ni ningún otro día, Sally se quejó: «¿Por qué? ¿Por qué no? ¡Pues pienso ir! ¡Tú no me lo puedes impedir!»

Este tipo de rebeldía provocaba episodios de contestaciones indignadas y llenas de impertinencias entre Sally y sus padres, especialmente después del día en que Sally se lanzó a cruzar la calle para ir a casa de su mejor amiga, a pesar de que no tenía permitido cruzar la calle sola.

Entre gritos de: «¡Es injusto!», sus padres, desesperados, la enviaron aquel día a su habitación, sin saber la libertad que debían dar a su hija ni los límites que debían imponerle para que su «bebé» no corriera ningún peligro que no fuera capaz de sortear. Como siempre estaba recibiendo invitaciones, no podían ignorar el dilema de decidir adónde y cuándo podía ir.

Para resolver el problema, los Hamilton decidieron finalmente llegar a un acuerdo con su hija y establecer unas normas de libertad que podrían ir cambiando según su hija fuera demostrando que era lo suficientemente responsable como para merecerlo. Trataron de explicar dichas normas a su hija, que se quedó encantada de aprender cómo podía obtener más libertad.

«Quiero que aprendas a cruzar la calle, Sally», le dijo su madre cuando la niña le preguntó si podía ir a visitar a su amiga de la casa dorada.

Sally y su madre fueron hasta el bordillo de la acera, donde la señora Hamilton comenzó a enseñar a su hija cómo había que cruzar la calle, cómo tenía que pararse primero en el bordillo, mirar a un lado y a otro, y no sólo mirar sino también VER. La señora Hamilton preguntó a su hija qué era lo que veía a derecha y a izquierda. Cuando estuvo segura de que la calle estaba vacía, instruyó a su hija para que sólo cruzara la calle de su mano. Entonces cruzaron juntas la calle, mirando a derecha e izquierda, describiendo lo que veían. Después de practicar diez veces, felicitando la señora Hamilton a la niña por seguir las instrucciones a la perfección, le dijo: «Sally, deja que vea cómo cruzas tú sola la calle.»

Cuando Sally demostró que podía seguir las normas, la señora Hamilton anunció la siguiente norma: «Puedes cruzar la calle e ir a casa de tu amiga, pero primero has de pedirme permiso y yo te acompañaré para ver cómo cruzas.»

Este compromiso suponía mucho trabajo, pensó la señora Hamilton, pero comprendió que era el único modo de sentirse tranquila al soltar un poco la cuerda cada vez que veía que su hija podía cumplir con las responsabilidades que requerían más libertad. Al establecer y practicar las condiciones de libertad, todos se sintieron más satisfechos y seguros conociendo los límites y las expectativas.

Quieren obtenerlo todo
de inmediato

Dado que la paciencia no es una virtud innata en los seres humanos, los jóvenes han de aprender el arte de saber esperar para lo que desean hacer, ver, comer, tocar u oír. Como ustedes tienen más experiencia en saber lo que conviene a su preescolar, estarán más calificados para controlar cuándo pueden hacer lo que quieren y qué deberán hacer antes de obtenerlo. Mientras ejercen este control, expliquen a su hijo de uno a cinco años cuándo y cómo puede obtener lo que desea. También es necesario que le enseñen que en esta vida conviene tener paciencia. Pueden decirle por ejemplo: «Me desagrada tener que esperar para comprar la nueva mesa de comedor que deseo, pero si me empeño en ahorrar, pronto seré capaz de comprarla.» O también: «Sé perfectamente que quieres tomar la masa del bizcocho, pero en estos momentos no lo necesitas; y si esperas hasta que esté hecho, podrás tomar mucha más cantidad.» Está en plena fase de descubrir que el mundo no siempre gira alrededor de sus deseos y apetencias. Nunca es demasiado pronto para aprender la técnica necesaria para enfrentarse a frecuentes hechos de la vida que no son placenteros.

Cómo evitar el problema

**Proporcionar una lista de actividades
entre las cuales pueda elegir su hijo**

Establezcan las condiciones bajo las cuales puede actuar su hijo y proporciónenle todo tipo de sugerencias sobre lo que puede hacer mientras espera a hacer lo que realmente desea. Díganle: «Cuando hayas jugado con las pinzas durante cinco minutos, iremos a casa de la abuela», por ejemplo.

Cómo solucionar el problema

Qué hacer

Fomentar la paciencia

Recompensen el más leve signo de paciencia diciendo a su hijo lo contentos que están de que haya esperado o haya hecho algo, por ejemplo. Expliquen al niño lo que significa la palabra «paciencia» si observan que no la entiende. Digan por ejemplo: «Qué bueno has sido por tener paciencia y esperar a que haya terminado de limpiar el fregadero para que te diera un vaso de agua. ¡Qué mayor eres ya!» Con ello enseñan al niño que es capaz de esperar a ver cumplidos sus deseos, aunque aún no lo sepa. También se sentirá feliz consigo mismo porque ustedes han elogiado su comportamiento.

Mantenerse lo más tranquilos posibles

Si su hijo protesta por esperar o por no tener algo que él quiere en el momento, piensen que está aprendiendo una valiosa lección para la vida, el arte de ser paciente. Si le dan ejemplo de paciencia, aprenderá enseguida que exigiendo no logrará satisfacer sus deseos tan rápido como lo hará si obedece.

Dejar que su hijo participe en el proceso
de llegar a hacer cosas, con la norma de la abuela

Si su hijo se pone a llorar con el típico: «¡Vamos! ¡Vamos! ¡Vamos! a casa de la abuela», por ejemplo, apliquen las condiciones que han establecido anteriormente sobre lo que su hijo habrá de hacer antes de conseguir lo que desea. Con ello aumentan la probabilidad de que realice la tarea para conseguirlo. Expongan las condiciones de modo positivo. Digan, por ejemplo: «Cuando hayas ordenado los libros en la estantería, iremos con la abuela.»

Evitar responder con un no rotundo cuando su hijo quiera algo

Expliquen a su hijo cómo puede conseguir hacer lo que desea (cuando sea seguro y posible), en lugar de hacerle pensar que sus deseos jamás se cumplen. Díganle, por ejemplo: «Cuando te hayas lavado las manos, puedes tomarte la manzana». A veces, por supuesto, necesitarán decir que no al niño (cuando quiera jugar con la máquina de segar, por ejemplo). En tales momentos, intenten ofrecerle alguna alternativa para colmar los deseos del niño y fomentar el sentimiento de compromiso y flexibilidad en su hijo.

Qué no hacer

No pedir a su hijo que haga algo «ahora»

Si le piden a su hijo que realice algo al instante sólo le hacen creer que siempre puede obtener lo que él quiere inmediatamente, igual que ustedes.

No recompensar la impaciencia

No cedan ante los deseos de su hijo siempre que quiera salirse con la suya. Aunque resulte tentador dejar de hacer lo que están haciendo para satisfacer sus deseos y evitar la rabieta, si se sale con la suya sólo le enseñarán a no tener paciencia e incrementarán la probabilidad de que siga queriendo satisfacer sus deseos inmediatamente y en todo momento.

**Asegurarse de que su hijo sabe que no se cumplen
sus deseos porque él lo pida**
Aunque su hijo haga pucheros y se queje mientras le toca esperar, asegúrense de que sabe que están en el coche porque ya están preparados y han realizado sus tareas, no porque haya estado quejándose en la puerta. Digan por ejemplo: «He terminado de lavar los platos. Ya podemos irnos.»

¡Lo quiero ahora!

«Quiero agua ahora», lloriqueaba Emily Randolph, de dos años, cada vez que tenía sed. Cada vez que veía que su madre le daba el biberón a su hermanito, Justin, ella también quería, y siempre de inmediato.

«No, estoy ocupada. ¡Espera un poco!», le respondía su madre, impacientándose con su hija al ver que no comprendía que los bebés no saben esperar como los niños mayores.

Emily se pasaba todo el día exigiendo que le dieran juguetes o algo de beber, hasta tal punto que la señora Randolph temía el momento en que Emily entraba por la habitación mientras ella estaba ocupada con algo y especialmente cuando estaba haciendo algo con Justin.

Cuando Emily comenzó a quitarle a Justin la comida, la bebida, los juguetes y la manta, diciendo siempre «mío», su madre llegó a la conclusión de que era necesario controlar el problema. Entonces impuso una nueva norma que llamó la norma de la abuela y se la explicó a la niña: «Cuando hayas hecho lo que yo te pida que hagas, podrás hacer lo que realmente deseas». «A partir de ahora, ésta es la nueva norma.»

Aquella tarde, cuando Emily insistió en tomar algo para beber a los diez minutos de haber bebido un vaso, la señora Randolph le dijo serenamente: «Cuando te pongas los zapatos, te daré un poco de jugo de manzana.»

Emily estaba acostumbrada a escuchar un «no» y a agarrar una buena rabieta hasta que su madre gritaba: «Está bien, está bien» y le daba lo que pedía. De modo que ignoró la nueva norma de su madre y comenzó a lloriquear: «¡Tengo sed! ¡Tengo sed!», como de costumbre.

No sólo su rabieta no sirvió para conseguir la bebida, sino que provocó que la señora Randolph ignorara completamente a Emily. La niña, desesperada, se puso sus zapatos para ver si con ello conseguía llamar la atención (y una bebida) dado que los gritos no servían, y se sorprendió muy agradablemente al ver que funcionaba.

La niña aprendió rápidamente que su madre cumplía lo que decía porque nunca dejaba de cumplir la norma de la abuela. Si su hija cumplía la parte del trato, la señora Randolph elogiaba su comportamiento con comentarios como: «¡Qué bien que hayas quitado los platos de la mesa! Ya puedes ir a jugar afuera.»

La madre era sincera en su admiración sobre los actos de Emily y su hija parecía apreciarlo y se volvió más receptiva a las peticiones de su madre, que su madre intentaba limitar lo más posible. De ese modo, al aprender a trabajar unida toda la familia, consiguieron disfrutar más unos con otros, no unos a pesar de los otros.

Son demasiado lentos

Dado que el tiempo carece de sentido para un niño menor de seis años, meterle prisa no tiene demasiadas ventajas. En lugar de apresurar a su hijo con el típico «vamos» o «date prisa, por favor», consíganlo compitiendo con él o dándole la oportunidad de correr a sus brazos, por ejemplo. Hagan que las órdenes resulten divertidas, no temibles. Permitan que su hijo sienta que ejerce cierto control sobre lo lento o lo rápido que hace las cosas y así no necesitará hacerlo lentamente para ejercer su influencia sobre el avance de las cosas.

Cómo evitar el problema

Intentar ir por delante de la hora
Si tienen prisa, el hecho de tener que esperar a su pequeña tortuga les hará perder la paciencia y llegar mucho más tarde. Hagan todos los esfuerzos posibles para lograr que sobre un poco de tiempo antes de estar preparados para salir, comprendiendo que la lentitud es una respuesta típica por parte de alguien que no comprende lo que significa apresurarse y que es un investigador continuo del mundo.

Mantener siempre el mismo horario

Dado que un niño necesita unos hábitos y una constancia diarios y que tiende a ser más lento cuando se rompe la rutina, establezcan unos límites y un modelo regular de comidas, paseos en coche, etc., para familiarizar a su hijo con el horario que quieren cumplir.

No ser demasiado lentos

Hacer que un niño esté listo para hacer algo y que luego le toque esperarles a ustedes, sólo sirve para que el niño piense que el tiempo no es importante. No anuncien que ya están preparados para ir a casa de la abuela, por ejemplo, si todavía no lo están.

Cómo solucionar el problema

Qué hacer

Hacer que resulte fácil seguir su paso

Jueguen a juegos sencillos para disfrazar el hecho de que tienen prisa, como apostar si la abuela estará en casa, con el fin de alentar su interés por estar preparado. Inviten a su hijo que «corra a sus brazos» si quieren que se dé prisa para ir hasta el coche, por ejemplo.

Jugar a la carrera contrarreloj

Los niños siempre se mueven más rápidamente cuando intentan ganar al reloj (autoridad neutral) en lugar de hacer lo que se les pide. Díganle: «Vamos a ver si eres capaz de estar vestido antes de que suene el reloj», por ejemplo.

Ofrecer incentivos por la rapidez

Hagan que las peticiones encubiertas de apresurarse tengan alguna ventaja para su hijo. Díganle: «Cuando suene el reloj, puedes jugar durante diez minutos antes de irnos al colegio.» Con ello consiguen que su hijo vea las cosas buenas que se obtienen por ajustarse a un horario.

Recompensar tanto el movimiento como el resultado

Para espolear a su hijo a completar una tarea, anímenlo mientras la realiza. Por ejemplo, pueden decirle: «Me encanta cómo te vistes de rápido», mientras lo hace y «¡Me encanta cómo te has vestido!», cuando haya terminado de hacerlo.

Guiarlo de la mano

Puede que sea necesario llevar de la mano a su hijo para que realice una tarea (entrar en el coche o vestirse) para enseñarle que el mundo continúa, independientemente de su agenda en el momento.

Aplicar la norma de la abuela

Si su hijo es demasiado lento cuando tienen que realizar una tarea para ir a algún sitio o hacer algo, por ejemplo, apliquen la norma de la abuela. Con ello equipararán el darse prisa con lo que hará posteriormente, que es lo que quiere hacer. Digan por ejemplo: «Cuando hayas terminado de vestirte, puedes jugar con tu tren.»

Qué no hacer

No perder el control

Si tienen prisa y su hijo no, no pierdan aún más tiempo prestando al niño demasiada atención por su lentitud (regañando o gritando al niño para que se apresure, por ejemplo). Si se enfadan sólo conseguirán que acentúe su paso de tortuga.

No regañar

Regañar a su hijo para que se apresure cuando va demasiado lento sólo sirve para señalar la lentitud, no la rapidez. Disfracen la técnica de darse prisa convirtiéndola en un juego.

Allison la remolona

Allison, de tres años, se perdía observando las briznas de hierba o jugando con los cordones de sus zapatos, en lugar de hacer lo que era necesario en cada momento. Su abuela Harris, que la cuidaba a diario, se sentía fatal al tener que enfadarse y arrastrar prácticamente por el suelo a su nieta hasta la puerta para llevarla a la guardería. «¡Deprisa! ¡Deja de remolonear!», ordenaba, pero Allison era totalmente inconsciente a cualquier intento de apremio.

Finalmente, la abuela Harris le dijo a su hija que no iba a poder seguir cuidando de Allison porque se sentía totalmente impotente, enfadada y resentida con su nieta favorita. La señora Smith aconsejó a su madre que elogiara cualquier amago de la niña por apresurarse, prestando especial atención al hecho de no remolonear e ignorando los momentos en que la niña perdía el tiempo, técnica que también ella aplicaría.

La abuela Harris aceptó también la sugerencia de su hija de ofrecer alguna recompensa a la niña cuando se diera prisa, algo no le resultó en absoluto difícil, ya que se pasaba la vida trayendo regalos a su nieta.

«Me alegro de que hoy te hayas levantado y hayas ido hasta la puerta delante de mí», le dijo la abuela la primera ocasión en que Allison pareció que andaba más rápido que de costumbre hacia la escuela.

Sin embargo, cuando Allison disminuyó el paso como de costumbre según se acercaban a la escuela, la abuela Harris decidió animarla a que se apresurara, sin prestar atención a su lentitud. «Si llegas hasta la escuela antes de que cuente cinco, te regalo la peineta que tengo en mi bolso», le dijo a Allison, observando cómo su nieta aceleraba el paso como si no hubiera ido despacio en toda su vida.

La abuela Harris cumplió su promesa y le dio la peineta, comprobando el impacto que tenían los premios para lograr que su nieta hiciera lo que debía.

La abuela tuvo que seguir engatusando a Allison para que se vistiera según el horario de su abuela, no el suyo, pero ahora la abuela Harris estaba empezando a disfrutar de nuevo de su nieta y consiguió ajustar el tiempo en el que ambas habían de operar.

No siguen las instrucciones

En los juegos y diversiones diarios, los preescolares son los mayores expertos del mundo a la hora de probar hasta dónde se pueden estirar las normas de los padres, si las advertencias se cumplen y con qué seriedad se siguen las instrucciones. Demuestren a su hijo que siempre obtendrá los mismos resultados en sus investigaciones sobre el funcionamiento del mundo de los adultos. Demuéstrenle que hacen lo que dicen, para que se sienta más seguro sobre lo que debe esperar de otros adultos. Este control estricto puede sonarle a su hijo a dictadura injusta, pero a pesar de sus protestas, le aliviará comprobar que existen límites y reglas establecidas y definidas mientras cambia del mundo de los pequeños al de los mayores.

Cómo evitar el problema

Aprender el número de instrucciones
que es capaz de seguir el niño a la vez
Su preescolar sólo será capaz de recordar y seguir un determinado número de instrucciones a la vez. Para hallar el límite de su hijo, expónganle una instrucción sencilla, después dos y más tarde tres. Para el caso de tres instrucciones, díganle por ejemplo: «Por favor, ordena

el libro, colócalo sobre la mesa y ven a sentarte a mi lado.» Si el niño sigue las tres instrucciones por su orden, sabrán que su hijo es capaz de recordarlas. En caso contrario, decidan cuál es su límite y esperen a que el niño crezca antes de otorgarle más responsabilidad. No olviden que no han de esperar que su hijo siga más instrucciones de las que él pueda seguir según su etapa del desarrollo.

**Dejar que el niño haga todas las cosas posibles
sin decirle que se detenga**
Dado que sólo quiere seguir sus propias instrucciones y tener control total sobre su vida, su hijo de dos, tres, cuatro o cinco años luchará por tener la oportunidad de elegir.

Pueden dar a su hijo la oportunidad de desarrollar sus técnicas para tomar decisiones e incrementar su autoconfianza. Cuanto más control piense que tiene, menos probable resulta que se niegue a seguir instrucciones de nadie más.

Evitar las normas innecesarias
Analicen la importancia de una norma antes de establecerla. Su preescolar necesita toda la libertad posible para desarrollar su independencia, de modo que permitan que la obtenga.

Cómo solucionar el problema

Qué hacer

Dar instrucciones sencillas y claras
Al ser muy específicos sobre lo que quieren que haga su hijo, conseguirán que éste siga más fácilmente las instrucciones. Hagan sugerencias, pero no intenten criticar lo que ha hecho. Díganle por ejemplo: «Por favor, recoge los juguetes ahora y mételos en la caja», en lugar

de: «¿Por qué no recuerdas siquiera que has de recoger los juguetes y guardarlos tú solo en la caja?»

Elogiar al niño cuando siga las instrucciones

Premien a su hijo por seguir las instrucciones mostrándole lo felices que se sienten ante el trabajo bien hecho. Enséñenle lo que ha de decir para mostrar su aprecio por lo que otros han hecho, diciéndole: «Gracias por hacer lo que te había pedido», siempre que sea el momento adecuado, como le dirían a algún amigo.

Emplear la cuenta atrás

Apliquen la norma de que su hijo debe comenzar una tarea cuando ustedes cuenten cinco, para facilitar, por ejemplo, que su hijo comprenda la idea de dejar de hacer algo que le divierte para hacer lo que ustedes quieren que haga. Díganle: «Por favor, recoge tus juguetes ahora. ¡Cinco, cuatro, tres, dos, uno, cero!» Si el niño se apresura en ordenar, no olviden felicitarlo.

Comentar cualquier progreso realizado, no sólo cuando las instrucciones se han seguido al pie de la letra

Aplaudan a su hijo cuando comience a mover las piezas adecuadas en el juego que ustedes quieren emprender. Díganle: «¡Qué bien te has levantado y has empezado a colocar los juguetes», por ejemplo.

Aplicar la norma de la abuela para conseguir que siga las instrucciones

Si su hijo puede seguir una instrucción, hagan que merezca un premio, diciéndole: «Cuando hayas ordenado todos los libros, puedes ver un rato la televisión» o «Cuando te hayas lavado las manos, comeremos».

Practicar las instrucciones

Si su hijo no sigue las instrucciones, practiquen con él, guiándolo con la mano y alabándolo y alentándolo. Díganle: «Siento que no siguieras las instrucciones. Ahora tenemos que practicar.» Practiquen cinco veces, después ofrézcanle la oportunidad de seguir las instrucciones él solo. Si aún sigue negándose, díganle: «Tiempo muerto» y llévenlo a un lugar apartado de la situación.

Qué no hacer

No abandonar si su hijo se resiste

Piensen: «Sé que mi hijo no quiere hacer lo que le pido, pero yo tengo más experiencia y sé lo que es mejor para él. Le enseñaré con instrucciones claras, así podrá hacer las cosas de vez en cuando.»

No castigar al niño por no seguir las instrucciones

Si enseñan a su hijo a hacer las cosas en lugar de mostrarle lo mal que les sienta que no las hagan, lograrán que no sufra la autoestima del niño y prestarán mayor atención al buen comportamiento que al malo.

¡Haz lo que has dicho!

Eric Jackson, de cuatro años y medio, sabía de memoria el abecedario y los números e incluso empezaba a extraer algunas palabras de sus libros favoritos. Lo único que el niño parecía incapaz de hacer era precisamente lo que sus padres soñaban que hiciera, seguir sus instrucciones.

A diario, su madre le pedía cosas como: «Eric, por favor, ordena tus juguetes y echa la ropa sucia al cesto» o «Siéntate aquí en el sofá y ponte las botas, Eric.»

Eric se quedaba a mitad de camino de la primera tarea y luego parecía olvidar lo que se suponía que debía hacer y se largaba a investigar un nuevo vagón de juguete o a ver lo que su hermano estaba haciendo.

«¿Cuántas veces he de repetirte lo que tienes que hacer?», le gritaba su desesperada madre después de una de esas sesiones totalmente ineficaces. «¡Nunca me escuchas! ¡Nunca entiendes lo que te pido!», continuaba, dándole un azote por no hacer lo que ella quería.

Continuaron así hasta que un día Eric soltó: «¡No puedo hacer lo que quieres!», y su madre comprendió realmente lo que había dicho y se lo tomó en serio. De modo que intentó darle una instrucción sencilla y ver si podía hacer lo que le pedía. «Cualquier acto será mejor que ninguno», pensó.

«Eric, por favor, alcánzame tus botas», pidió simplemente. Cuando vio que Eric se dirigía derecho hacia sus botas azules y blancas, su madre aplaudió encantada. «Muchísimas gracias por hacer lo que te he pedido, Eric», le dijo. «¡Qué bueno eres por seguir mis instrucciones!»

Entonces le dio la siguiente instrucción, ponerse el abrigo y continuó con las alabanzas y aplausos cuando cumplió lo que había pedido.

La señora Jackson estaba encantada de no tener que amenazar ni gritar más a su hijo y al hacer caso de los sentimientos del niño comprendió algo que era realmente importante para un buen entendimiento. Continuó incrementando poco a poco el número de instrucciones que le daba a su hijo, esperando hasta que había practicado dos a la vez, por ejemplo, antes de darle una tercera. Su lenguaje claro y las promesas de recompensas como: «Cuando te hayas puesto las botas, podrás jugar en la nieve un minuto antes de ir con la abuela», le ayudaron a ganar la batalla de las instrucciones.

Los problemas de los viajes

Para la mayoría de los adultos viajar significa cambiar de lugar, de escenario y de rutina, la ocasión de abandonar los cuidados del hogar y cambiarlos por la vida fácil y libre. Para la mayoría de los preescolares, sin embargo, viajar puede significar exactamente lo contrario de unas vacaciones, porque abandonan el sentido de seguridad que les ofrecen un día y otro sus juguetes familiares, su cama y su comida. Intenten evitar que se hagan necesarias otras vacaciones cuando regresen a casa después de haber hecho un viaje con los niños, haciendo saber a su hijo que sus cosas favoritas (juguetes, mantas, ropa) estarán cerca y que ustedes tomarán parte en la diversión (practiquen algún juego, llévenlos a sus sitios favoritos). Las comodidades que existen en casa suelen desaparecer cuando se van de viaje, de manera que intenten enseñar a su hijo a soportar el cambio y a disfrutar de nuevas experiencias, dos tareas que se realizan más fácilmente si tienen un alumno feliz e interesado que se siente seguro en su nuevo entorno.

Nota: Recuerden que los niños que no están bien sujetos pueden salir volando si el coche se detiene bruscamente. Podrían golpearse con cualquier cosa que encontraran a su paso, el salpicadero, el parabrisas o el asiento delantero, con un impacto equivalente a la caída desde un primer piso por cada 16 km/hora con el coche en movimiento. Incluso aunque el salpicadero o el asiento delantero estuvieran acolchados, si se golpearan a más de 90 km/hora sufrirían un impacto equivalente a la caída desde más arriba de un quinto piso, lo que provocaría daños considerables en un cuerpo pequeño (véase página 219 y ss. para más información sobre seguridad en el coche).

Cómo evitar el problema

Comprobar el asiento del coche
o el cinturón de seguridad antes de viajar
Las medidas de seguridad que tomen antes de salir de viaje determinarán lo relajados que podrán estar respecto a su hijo cuando llegue el día de la partida. No esperen al último minuto para verse obligados a retrasar su viaje porque les falta una de las cosas más importantes, la silla de seguridad.

Practicar la norma
Antes de que emprendan junto a su hijo un viaje largo en coche, practiquen varios recorridos, de manera que su hijo pueda acostumbrarse gradualmente a ir en el coche. Mientras practiquen, elogien sin cesar a su hijo, cada vez que se quede quieto en la silla o con el cinturón puesto, para demostrarle que con ello consigue recompensas.

Establecer normas para el coche
Instituyan la norma de que el coche sólo se mueve cuando todos tienen puestos los cinturones de seguridad. Digan: «Siento que tu cinturón no esté abrochado. El coche no puede arrancar hasta que lo abroches.» Prepárense a esperar hasta que todos los pasajeros cumplan la norma.

Proporcionar materiales apropiados para jugar en el coche
Asegúrense de que preparan juguetes que no son peligrosos ni para la ropa ni para la tapicería. Las crayolas son buenas, por ejemplo, pero los bolígrafos no son adecuados porque pueden manchar la tapicería si se caen accidentalmente. Si están en algún transporte público, proporcionen actividades que se puedan utilizar en un espacio controlado, que sean lo más tranquilas posibles y que puedan mantener la atención durante largo tiempo.

Familiarizar a su hijo con los planes de viaje
Discutan con su hijo los planes de viaje de modo que sepa durante cuánto tiempo se van, qué pasará con su habitación mientras están fuera y cuándo volverán. Enséñenle mapas y fotos del lugar de destino. Cuéntenle cosas de la gente de allí, del paisaje y de lo que van a hacer y lo que verán. Compartan historias personales y recuerdos de otras visitas. Comparen su destino con otro que su hijo conozca bien, para evitar que el niño se angustie por el hecho de ir a algún sitio desconocido.

Implicar a su hijo personalmente en el viaje
Permitan que su hijo forme parte de la preparación y ejecución del viaje. Dejen que ayude a hacer las maletas, a seleccionar los juguetes que va a llevar, a llevar la bolsa de viaje, a no separarse mientras están en la terminal, etcétera.

Establecer las normas de conducta que su hijo deberá seguir
Antes de partir, expliquen a su hijo cuáles son las normas, juegos y actividades que se permiten y cuáles se prohíben mientras visitan a la abuela o a la tía Elena. Por ejemplo, establezcan una «norma sobre el ruido», una «norma de investigación», una «norma de la piscina» y una «norma para el restaurante», para las paradas intermedias y los destinos.

Cómo solucionar el problema

Qué hacer

Elogiar el buen comportamiento
Elogien frecuentemente el buen comportamiento y ofrezcan recompensas por permanecer en la silla del coche. Digan, por ejemplo: «Me encanta cómo vas fijándote en los árboles y las casas. Es un día precioso. Pronto podremos salir y jugar en el parque porque has permanecido quieto en tu silla estupendamente.»

Parar el coche si su hijo se sale de la silla o se quita el cinturón
Asegúrense de que su hijo comprende que la norma de la silla del coche ha de cumplirse y que las consecuencias serán las mismas cada vez que viole la norma.

Jugar en el coche
Contar objetos, reconocer colores y buscar animales, por ejemplo, para implicar al niño en el proceso de mirar a uno y otro lado. Su capacidad de atención (y la de ustedes) no durará mucho con el mismo juego, de modo que hagan una lista de cosas divertidas antes de salir. Extraigan varios juegos cada hora, rotándolos para que el interés del niño y el de ustedes no se pierda.

Realizar frecuentes paradas
Su inquieto preescolar suele encontrarse en su mejor momento cuando está de viaje, de modo que su naturaleza aventurera no suele aceptar fácilmente permanecer encerrado durante horas en un coche, avión o tren. Dejen que se desfogue físicamente en algún área de servicio, por ejemplo, o encontrarán una respuesta rebelde al menor deseo o advertencia.

No olvidar llevar algo para comer en viajes largos

Los alimentos con elevado contenido en azúcar o las bebidas gaseosas pueden no sólo incrementar el nivel de actividad sino que pueden provocar náuseas. Lleven algo ligeramente salado para comer, en lugar de cosas azucaradas, por el bien del niño y para tranquilidad de todos los que viajan.

Aplicar la norma de la abuela

Hagan saber a su hijo que el buen comportamiento en los viajes entraña una recompensa. Díganle: «Cuando hayas permanecido en tu silla y hayas estado hablando con nosotros un ratito sin quejarte, paramos y tomamos algo de beber», por ejemplo, si su hijo ha estado lloriqueando porque tiene sed.

Qué no hacer

No hacer promesas que no puedan cumplir

No sean muy específicos sobre lo que su hijo va a poder ver en los viajes, porque puede que luego se lo recuerde. Si le dicen que va a poder ver un oso en Yellowstone, por ejemplo, y no lo ven, probablemente se pasen el viaje escuchando quejas del tipo: «¡Me prometiste que íbamos a ver un oso!», cuando salgan del parque.

La guerra de los coches

Jerry y Leah Sterling querían realizar un viaje con su familia como el que habían realizado ellos de jóvenes; pero viajar con sus hijos, Tracy con tres años y Travis con cinco, era más un castigo que un premio.

El asiento trasero del coche se convertía enseguida en un ring de lucha libre y los gritos de los niños siempre acababan en amenazas y azotes por parte de los padres. Además, los Sterling solían sentirse tan desolados después del enfado como al principio y les desesperaba completamente no ser capaces de encontrar solución a sus problemas con los viajes.

Entonces se les ocurrió desarrollar nuevas normas para los viajes y practicarlas durante las idas y venidas diarias al supermercado, al parque o a casa de los amigos. Rebuscaron entre los juguetes de los niños, eligiendo unos cuantos que no resultaban peligrosos y parecían adecuados para que se distrajeran sin supervisión alguna. Después explicaron la nueva política para los viajes en coche.

«Niños», comenzaron, «¡vamos al supermercado! Cuando hayan logrado permanecer sentados en su asiento, hablando tranquilamente con nosotros durante todo el camino, podran elegir cada uno vuestro jugo favorito.»

Los Sterling felicitaron a sus hijos cuando vieron que habían cumplido la norma: «Gracias por quedarse tan tranquilos. Me encanta que no se hayan quejado ni se hayan pegado una sola vez». Aunque las primeras veces el plan fallaba miserablemente y los niños se quedaban sin premio en el supermercado.

Hubieron de practicar solamente dos «paseos locales» más para que ambos niños se portaran bien en el coche, recibieran todo tipo de alabanzas por sus esfuerzos y obtuvieran sus premios por el buen comportamiento.

Dos semanas después, la familia Sterling emprendió un viaje de dos horas para ir a casa de la abuela, el viaje más largo que realizaban en coche desde que habían empezado con sus lecciones. Los niños sabían lo que sus padres esperaban de ellos y que recibirían varias recompensas a lo largo del camino y al llegar a su destino, todo lo cual hizo que les resultara mucho más divertido ir observando el río y los bosques.

Rechazan la sillita del coche

La silla y el cinturón de seguridad son el enemigo número uno de millones de preescolares amantes de la libertad. Estos espíritus aventureros no comprenden por qué tienen que ir fajados, pero pueden comprender la norma de que el coche no funciona si no tienen puesto el cinturón o si no están sentados en su silla. Aumenten la seguridad de su hijo siempre que vayan en el coche haciendo que el niño cumpla la norma del cinturón de seguridad. El hábito de ponerse el cinturón de seguridad no le resultará demasiado importante a su hijo, como pasajero hoy y como conductor mañana, si no han hecho especial hincapié en esta norma de vida o muerte.

Los niños que no llevan abrochado el cinturón de seguridad seguirán viajando si el coche frena de repente. Podrían golpearse con cualquier cosa que encontraran a su paso, el salpicadero, el parabrisas o el asiento delantero, con un impacto equivalente a la caída desde un primer piso por cada 16 km/hora con el coche en movimiento. Incluso aunque el salpicadero o el asiento delantero estuvieran acolchados, si se golpearan a más de 90 km/hora sufrirían un impacto equivalente a la caída desde más arriba de un quinto piso, lo que provocaría daños considerables en un cuerpo pequeño (véase página 211 y ss. para más información sobre seguridad en el coche).

Comprueben los asientos del coche, que la silla de seguridad y los cinturones sean adecuados para el peso y la edad del niño, de manera que el viaje resulte lo más seguro posible. Algunas sillas de bebés son demasiado pequeñas para niños un poco mayores, por ello existen unas especiales, que se acoplan al asiento y sirven para que pueda usarse el cinturón de seguridad del asiento trasero y van mejor que en la silla de bebés.

La principal causa de muerte en los niños se debe a los accidentes en coche. Muchos de los traumas podrían haberse evitado si los niños hubieran estado protegidos, de manera que sean inflexibles con la norma sobre ir bien sujeto o podrían poner en peligro la vida de su hijo.

Cómo evitar el problema

**Colocar al niño en un lugar
del coche desde el cual pueda ver e ir tranquilo**
Asegúrense de que la silla del niño es cómoda y que puede ver otras cosas aparte de sus padres. Comprueben que el niño alcanza a ver los pueblos por los que pasa. Comprueben el espacio que tiene para mover las manos y piernas al tiempo que permanece correctamente sujeto.

**Crear la norma de que el coche no puede
ponerse en marcha hasta que todos estén bien sentados**
Cuanto antes (desde que nacen) hagan que el niño cumpla la norma, más habituado estará a sentarse en la silla o a llevar el cinturón abrochado.

Hacer que el niño vaya sujeto de acuerdo con su edad
Asegúrense de que su hijo es consciente de por qué ha pasado a una silla mayor o a utilizar solamente el cinturón de seguridad, para que se sienta orgulloso de ir bien sujeto. Díganle por ejemplo: «¡Te estás haciendo muy mayor! Ésta es la nueva silla para el coche.»

No quejarse por tener que llevar puesto el cinturón de seguridad
Si hacen comentarios al amigo o al copiloto sobre cómo odian ponerse el cinturón de seguridad, están proporcionando al niño la clave para que él también lo rechace.

Practicar por los alrededores
Realicen paseos cortos en coche por el vecindario, con uno de los padres o algún amigo al volante y el otro felicitando al niño por permanecer tranquilo sentado en la silla del coche, con el fin de que el niño aprenda cómo esperan que actúe en el coche. Digan al niño: «¡Qué maravilla lo quieto que has estado en tu silla hoy!» o «¡Bien sentado!», mientras lo acarician suavemente.

Cómo solucionar el problema

Qué hacer

Llevar siempre puesto el cinturón de seguridad
Asegúrense de llevar siempre puesto el cinturón de seguridad y subrayen cuando el niño lo lleva igual que ustedes, para que su hijo comprenda que no está solo en su confinamiento temporal. Si ustedes no se ponen el cinturón, su hijo no comprenderá por qué él ha de hacerlo.

Felicitar al niño cuando esté bien sujeto
Si ignoran a su hijo mientras se está comportando bien, buscará algún modo de llamar su atención, por ejemplo salir de la silla, con lo cual logra que ustedes acudan a su lado. Hagan que su hijo no tenga problemas en el coche haciéndole saber que están «con» él en el asiento trasero, por ejemplo. Hablen y jueguen con él y elogien la manera que tiene de quedarse quieto.

Ser constante

Cada vez que el niño se salga de la silla o se desabroche el cinturón, detengan de inmediato el coche, en el primer sitio que puedan, para enseñarle que ha de cumplir la norma. Digan por ejemplo: «El coche se pondrá en marcha cuando te sientes en tu silla y tengas bien abrochado el cinturón, para que vayas seguro.»

Distraer al niño

Intenten todo tipo de actividades como juegos a base de números y palabras, veo-veo, adivinanzas, cantos, para que su hijo no intente salir de la silla porque se aburre y tiene que hacer algo.

Qué no hacer

No esperar que el niño no se quite el cinturón de seguridad ni se baje de la silla

Si no hacen caso al niño cuando llora o se queja porque está atado, le ayudarán a comprender que no tiene ninguna ventaja protestar por ese motivo. Piensen: «Sé que mi hijo va más seguro en su silla y que sus protestas terminarán. Soy responsable de su seguridad y el niño va más seguro si hago que cumpla la norma del cinturón.»

Alan el desabrochado

Harry Brenner adoraba llevar de recados a su hijo de cuatro años, Alan, hasta que éste empezó a tratar de llamar la atención absoluta de su padre desabrochándose el cinturón de la silla y saltando por el asiento trasero del coche.

«¡No te vuelvas a quitar el cinturón, jovencito!», le ordenó el señor Brenner cuando vio que su hijo iba suelto por el coche.

Pero no resolvía el problema con pedir al niño que se estuviera quieto, con lo cual el señor Brenner decidió que era necesario aplicar un castigo más severo. Aunque nunca había dado un azote a su hijo, comenzó a darle con la mano en el trasero cada vez que veía que el niño se soltaba de la silla.

Para darle el azote, sin embargo, el señor Brenner debía parar el coche y observó que cada vez que lo hacía, el niño trepaba de nuevo a la silla para que no le pegara. Así que el padre decidió ver si surtía efecto parar sencillamente el coche y anunciar que no seguirían hasta que Alan estuviera bien sujeto.

Su hijo sufriría las consecuencias de su comportamiento.

Intentaron el nuevo método la vez siguiente que fueron en coche al parque. «Podremos ir al parque cuando estés sentado en tu silla y con el cinturón abrochado», le explicó el señor Brenner. «Si sales de la silla, detengo el coche», continuó. «No vas seguro en el coche si no llevas puesto el cinturón.»

A unos kilómetros de casa, su hijo se desabrochó como de costumbre y el señor Brenner cumplió lo que había dicho, deteniendo el coche. No pegó ningún azote al niño; simplemente repitió la nueva norma y cruzó los dedos, esperando que su hijo Alan regresara a su silla, ya que el padre sabía que le entusiasmaba ir al parque.

Tenía razón. Alan regresó a su asiento y se abrochó tranquilamente de nuevo. Su padre le dijo: «Gracias por volver a tu silla» y se dirigieron al parque sin ningún otro incidente.

El problema no desapareció por completo y la vez siguiente que Alan se desató de nuevo, el señor Brenner se enfadó de tal modo que estuvo tentado de gritar al niño de nuevo, pero se contuvo y aplicó el nuevo método. Al continuar incluyendo al niño en las conversaciones y elogiando el buen comportamiento, comenzó a disfrutar de nuevo de las salidas con su hijo, mientras sabía que el niño iba seguro.

Apéndice I
Lista de elementos seguros
para el niño

Existen estadísticas alarmantes que muestran que los accidentes son la mayor causa de muerte en los niños desde que nacen hasta los quince años. La mayoría de los accidentes de los niños son simple y llanamente consecuencia de la curiosidad.

Según va creciendo el niño, van aumentando las oportunidades de que sufra algún daño. Los riesgos se multiplican cuando un bebé aprende a gatear, a andar, a trepar y a explorar. Los accidentes suelen ocurrir porque los padres no son conscientes de las capacidades de su hijo en este periodo específico del desarrollo.

La siguiente lista enumera los pasos que conviene que sigan los padres para evitar accidentes caseros:

- Instalar pestillos a prueba de niños en todos los armarios que contengan objetos peligrosos.
- Andar a gatas por la casa para descubrir posibles riesgos y remediarlos.
- Tapar todos los enchufes vacíos con tapas diseñadas especialmente para ello.
- Quitar de en medio cables y alargaderas que no se utilicen.
- Colocar algún sofá o sillón delante de enchufes que tengan cables enchufados.

- Guardar hasta que el niño crezca todas las mesas auxiliares o mobiliario que no sea fuerte o que tenga esquinas cortantes.
- Colocar en un armario cerrado las sustancias domésticas peligrosas, como detergentes, líquidos de limpieza, cuchillas de afeitar, cerillas y medicinas, fuera del alcance de los niños.
- Instalar una pantalla protectora delante de la chimenea.
- Utilizar siempre la silla especial para el coche.
- Revisar los juguetes regularmente, para ver si alguno está roto o tiene piezas sueltas.
- Comprobar que en el suelo no haya objetos pequeños con los que su hijo pudiera atragantarse o ahogarse.
- Colocar una barandilla en la escalera para evitar que se ponga a jugar en los escalones sin supervisión alguna.
- No dejar jamás al bebé solo en el cambiador, en el baño, en el sofá, sobre la cama, en una silla de niños o en una silla normal, en el suelo o en el coche.
- Tener a mano jarabe emético (el pediatra le indicará uno) para inducir al vómito en caso de que su hijo trague alguna sustancia venenosa no corrosiva.
- Colocar los objetos de adorno pequeños o frágiles fuera del alcance del niño.
- Mantener la puerta del baño siempre cerrada.
- Mantener las bolsas y los objetos pequeños (alfileres, botones, nueces, caramelos, dinero) fuera del alcance del niño.
- Comprobar que los juguetes, mobiliario y paredes están realizados y acabados con pinturas sin plomo. Comprobar la etiqueta para asegurarse de que los juguetes no son tóxicos.
- Enseñar la palabra «caliente» lo antes posible. Mantener al niño alejado del horno, plancha, ventilador, chimenea, cocina, barbacoa, cigarrillos, encendedores y tazas de té o de café hirviendo.

• Colocar hacia adentro los mangos de las sartenes cuando estén cocinando.
• Tener siempre levantadas las barandillas de la cuna cuando su bebé esté en ella (incluso recién nacido).
• No dejar que cuelgue el mantel de la mesa cuando su pequeño está cerca.
• No atar juguetes a la cuna o en el parque. Su bebé puede estrangularse con la cuerda. Ni poner una cuerda al chupete ni alrededor del cuello del bebé.

Apéndice II
Guía de cantidad adecuada
de alimentos

Describamos en este capítulo las cantidades recomendadas, según la edad del niño, para ayudarles a calcular la cantidad que pueden dar a su hijo. Es mejor ofrecer pequeñas cantidades y dejar que su hijo pida repetir que darle grandes cantidades.

Pautas

Edad 1 a 2 años

- **Leche: + 125 ml.**
- **Jugo: + 125 ml.**
- **Huevo: Medio.**
- **Carne: +125 gramos en trozos.**
- **Cereales: 30 ml. cocido, 180 ml. precocinado.**
- **Pan: 1/2 rodaja.**
- **Verduras y frutas: 1/2 manzana, tomate, naranja; de 15 a 30 ml. de lo demás.**

Pautas

Edad 2 a 3 años

- Leche: 175 ml.
- Jugo: De 118 a 125 ml.
- Huevo: Medio.
- Carne: Filete de 7.6 cm. de largo x 1.2 cm. de grosor.
- Cereales: 30 ml. cocido, 180 ml. precocinado.
- Pan: 1/2 rodaja.
- Verduras y frutas: 1/2 manzana, tomate, naranja; de 15 a 30 ml. de lo demás.

Pautas

Edad 3 a 5 años

- Leche: 175 ml.
- Jugo: 125 ml.
- Huevo: Medio.
- Carne: Filete de 7.6 cm. de largo x 1.2 cm. de grosor.
- Cereales: 65 ml. cocido, 125 ml. precocinado.
- Pan: 1 rodaja.
- Verduras y frutas: 1/2 a 1 manzana, tomate, naranja; de 30 a 60 ml. de lo demás.

Este libro terminó de imprimirse en octubre de 2008
en Editorial Penagos, S.A. de C.V., Lago Wetter
núm.152, Col. Pensil, C.P.11490, México D.F